설득과 영업 초고수 실행노트
PERSUATION SECRET

설득술 '고급 기법'

마음을 얻으면 천하를 얻는다.

"탄탄한 이론적 근거에 기반한 실전 노하우"
"두고 두고 참고할 만한 설득과 영업의 실전 실행노트"

닥터브리

설득과 영업 초고수 실행노트

설득술
고급 기법
마음을 얻으면 천하를 얻는다

닥터브리

설득술 고급기법

1판 1쇄 인쇄 2024년 1월 31일
1판 1쇄 발행 2024년 1월 31일

지은이 ｜ 닥터브리
발행인 ｜ 정병현
발행처 ｜ NPBR COMPANY
등 록 ｜ 제2023000117호
주 소 ｜ 07547 서울 강서구 양천로 583
전 화 ｜ 1644-5086
팩 스 ｜ 0505-415-4424
e-Mail ｜ bh0527@empal.com
홈페이지 ｜ http://www.drbriany.com
블로그 ｜ https://blog.naver.com/drbriany
티스토리 ｜ https://drbriany.tistory.com/
인스타그램 ｜ @DRbriany365
페이스북 ｜ DRBriany
ISBN 979-11-985360-2-0

* NPBR COMPANY는 독자 여러분의 소중한 아이디어와 피드백을 기다립니다.

| 지은이 |

닥터브리 (Dr. Brian)

중학생시절까지 오줌싸개였고, 몸도 외소하고 잔병치레도 많았으며 소심하고 말수도 적고 내성적이었던 그가 여러 부정의 굴레를 극복하자 대기업, 외국계기업, 벤처기업을 거쳐 고가의 S/W, H/W에서부터, 유 무형상품에 이르기까지 다양한 형태의 기술영업, 대면영업의 현장에서 마음을 얻는 법을 현장에서 터득하고 누적 1000억원 매출을 넘어서는 영업의 전문인이 되었다. 1000명이 넘는 1:1 영업 및 설득 코칭 경험이 있고 이 중 90% 이상 실직적인 영업성과를 기록했다. 마음을 열고 지갑을 열게 하는 기법에 관한 영업교육 및 세미나 300회 이상 경험을 보유하고 있다. 제품별 영업멘트, TM멘트를 직접 설계했고 이를 토대로 교육했다. 현장에서 부딪힌 여러 문제들을 극복한 문제해결 경험들과 학문적 배경들을 더해 MBA와 경영학박사학위를 취득하고 영업과 설득, 협상의 현장에서 어려움을 겪는 이들을 돕고 격려하며 세우는 일에 주력하고 있다.

| 홈페이지 | drbriany.com
| 블로그 | https://blog.naver.com/drbriany
| 티스토리 | https://drbriany.tistory.com/
| 인스타그램 | @DRbriany365
| 페이스북 | DRBriany
| 유튜브 | https://www.youtube.com/@DRbriany365
| 이메일 | bh0527@empal.com

| 서문 |

"단순한 무용담도 설명서도 아닙니다"

"실전 노하우와 탄탄한 이론적 근거로
하나 하나 정성껏 곱씹고 글로 옮겼습니다"

"두고 두고 참고할 만한 설득과 영업의 실전 실행노트입니다"

"용어 및 참고문헌에 관해 보다 명확하고 풍부한 해석과 전달을 위해
영문도 함께 표기 한 점을 양해 부탁 드립니다."

목차

프롤로그

* 이런 분들에 도움이 됩니다.

오랜 영업의 현장에서 실패를 겪은 분들이 실패 속에서
보석을 발견하고 재도약하는데 도움이 됩니다.
영업직에서 탁월한 성과가 간절하신 분에게 도움이 됩니다.
이미 성과를 내지만 더 크고 진일보하여 큰 영업인이
되고 싶은 분에게 깊은 통찰력을 제공합니다.
대면영업, 매장영업, 기술영업, 보험영업, 교육영업, 자동차영업,
법인영업, 특수영업 모든 영역에서 도움이 됩니다.
B2B, B2C, 온.오프라인, SNS영업, 팀영업에서 도움이 됩니다.
증원, 교육과 양육, 코칭, 컨설팅을 통해 영업조직을
단단하고 탁월하게 육성하고 싶은 리더에게 도움이 됩니다.
상담과 협상의 자리에서 노련미, 숙련도를 탑재하고
고급스런 소통의 달인을 꿈꾸는 분들에게 도움이 됩니다.
사람과의 대화와 소통에 어려움을 겪는 분들에게 도움이 됩니다.
사람 자체를 이해하고 싶고 그 속을 들여다 보고 싶은 분들에게 도움이 됩니다.
나에 대한 진지한 탐구와 묵상을 통해 성찰하고자 하는 분들에게 도움이 됩니다.
부부, 자녀, 가족구성원 간에 소통을 풍성히 하고자 하는 분들에게
도움이 됩니다.

추천사

"본 서를 읽다 보면 대인관계에서 비롯되는 염려와 직면하는 두려움에서 자연스럽게 벗어나게 된다. 동시에 자신 있게 나아가는 힘을 얻고 할 수 있다는 신념을 갖게 된다. 자연스레 긍정적인 자아로 변화되는 자신을 발견하게 된다. 본 서는 개념들을 쉽게 적용하도록 이끌어 주는 실천서이자 친철한 안내자이다. 저자의 전문성과 현장에서의 경험, 사람에 대한 사랑으로 비롯된 영업 성과 노하우를 여실히 보여 주면서 독자의 눈높이에 맞추어 바로 적용할 수 있는 솔루션을 제시한다. 설득과 영업 25가지의 다양한 조합으로 무한대의 기법을 만들어 내는 마법서로서 모든 독자에게 다가가지만, 개인에 대하여 1:1 맞춤 멘토서이다.
그래서 신비한 책이다."

숭실대학교 이선영 교수

"이 책은 비즈니스 현장에서 많은 사람들이 고민했을 법한 화두들을 빠짐없이 담고 있는 설득과 영업에 관한 사전이자 실전사례가 곁들여진 가이드이다. 영업 초보자에게는 영업의 교본이자 시행착오를 최소화 시켜주는 지침서가 될 것이고, 영업고수에게는 자신이 가지고 있는 자신만의 영업노하우를 마치 도서관처럼 잘 분류하여 자신의 머리 속에 체계화 시켜줄 수 있는 길을 발견하게 만들어 줄 것으로 확신한다."

(주)소프트자이온 이준호 대표

"예수님은 인류 최고의 영업 초고수이시다!
성경과 이책을 함께 읽으면 그 이유를 알 수 있을 것이다."
FGC파트너스 대표이사 이정림

"설득과 영업에 대한 키워드를 25가지로 정리한 것이 인상적이다. 평범 속에 진리가 있다고 다 아는 내용인듯한데, 하나 하나 들여다 보니 생각나는 것이 많다. 이제 이 기법들로 설득하는 것과 영업하는 방법으로는 충분 할 듯하다. 성경의 지혜들이 새롭게 느껴진다."

(주)케이알컨설팅 이강락 대표

"맹자가 '득천하유도(得天下有道) 득기민(得其民), 사득천하의(斯得天下矣), 천하를 얻는 데는 방법이 있다. 백성을 얻으면 바로 천하를 얻는 것이다.' 라고 하였다. 이 말은 천하를 얻기 위해서는 먼저 백성의 마음을 얻어야 한다는 뜻이다. 설득과 영업의 핵심도 바로 상대방의 마음을 얻는 것이다. 이 책은 상대방의 마음을 얻을 수 있는 설득과 영업에 대한 이론과 사례와 적용이 잘 정리되어 있어서 읽고 적용하면 반드시 좋은 열매를 맺게 될 것이다."

드림스드림 이사장 임채종

"영업 활동의 중요성에도 불구하고 이론적 기반보다는 실무가 강조되며 그간 개인의 노하우를 기반으로 실행되는 영역으로 여겨지고 있었다. 본 서는 최신효과에서 시작되어 질문의 기술을 얻기까지의 영업 프로세스를 제시하며 영업 성과 도출의 노하우를 구체화하여 제시하고 있다."

서울과학종합대학원대학교 고영희 교수

제 1 장

최신 효과(Recency effect)

———— ⊰◆⊱ ————

"마지막 한마디는 설득과 영업의 드라마에서 클라이맥스이다."

닥터 브라이언(Dr. Brian)

최신 효과(Recency effect)

■ 개념

최신 효과는 연속적인 정보들 중 가장 최근에 발생한 것들을 이전 것들보다 더 잘 기억하는 경향을 보이는 인지적 편향으로, 일반적으로 시리얼-포지션 효과(Serial-Position Effect)라는 넓은 범주에 속한다. 심리학에서 더 넓은 연속 위치 U자 곡선[1]의 일부로, 사람들이 일련의 항목 중 가장 최근의 항목을 더 잘 기억하는 경향을 말한다. 단기기억에 대한 기능에 뿌리를 둔 신경학적[2] 기반으로 설명된다. 이것은 가장 최근에 받은 정보를 높은 정확도로 회상하고 기억하는 것으로, 결정 및 인식에 영향을 미칠 수 있다. 예를 들어, 여러 목록의 테마들을 기억하려고 할 때, 마지막으로 인지된 목록의 항목을 더 잘 기억하는 경향이 있다. .

최신 효과는 기억력 이외의 다양한 인지분야에서도 적용될 수 있다. 받아들이는 정보의 순서와 시간이[3] 인지와 설득에서 중요한 역할을 한다. 기억력(메모리)구조의 메커니즘[4]과 최적[5]의 메모리 조건을 이해하

---

[1] The serial position effect of free recall. Journal of Experimental Psychology, 64(5), 482. Murdock, B. B. (1962)

[2] Two storage mechanisms in free recall. Journal of Verbal Learning and Verbal Behavior, Glanzer, M., & Cunitz, A. R. (1966)

[3] Short-term temporal changes in free recall. Quarterly Journal of Experimental Psychology, Postman, L., & Phillips, L. W. (1965).

[4] "Your Memory: How It Works and How to Improve It" by Kenneth L. Higbee, Ph.D.

[5] "How We Learn: The Surprising Truth About When, Where, and Why It Happens" by Benedict Carey

면 설득기술을 개발하는데 도움이 된다 예를 들어, 제품 출시 전 제품의 특징과 좋은 점에 대해 들은 후 제품이 출시된 후 제품이 제대로 작동하지 않는 이야기를 들으면 최신 효과가 작용하여 제품의 나쁜 면을 더 잘 기억하게 된다.

이것은 광고와 영업 및 공개 연설 분야에서 부각된다.
예를 들어, 토론이나 광고 블록에서 마지막 발언내용이나 광고는 종종 회상강도와 영향력 측면에서 장점을 가진다. 연구에 따르면 마지막으로 제시된 항목(최근 항목)은 중간에 제시된 항목보다 기억이 더 잘되며, 종종 첫 번째 항목보다도 더 잘 기억된다. 이 효과는 수많은 인지 심리학 실험을 통해 검증되었으며 그 신뢰성을 강조한다. 영업 전략가와 마케터들은 상대의 기억에 두드러지게 유지하기 위해 프레젠테이션이나 커뮤니케이션의 끝부분에 가장 중요하거나 설득력 있는 정보를 배치함으로써 최근성 효과를 활용할 수 있다. 질문의 기술을 적절히 구사하면, 원하는 응답이나 결과를 장려하는 방식으로 대화를 이끄는데 사용되는 잘 구성된 질문을 전략적으로 활용하는 기술로 활용할 수 있다. 제품이나 영업 제안의 가치를 인식하게끔 설계되며, 결국 상대방의 시각을 제시된 혜택과 조화롭게 만드는 데 효과적이다.

"제일 좋은 것은 마지막에 남겨두라."
미상(Unknown)

■ 핵심 내용

기억 강조(Memory Emphasis): 최신 효과는 최근 정보나 경험이 개인의 기억과 인식에 더 큰 영향을 미친다는 것을 시사한다. 이것은 시퀀스 내의 마지막 정보 또는 상호작용이 종종 더 생생하고 두드러지게 개인의 마음에 남는다는 것을 의미한다.

결정에 미치는 영향(Decision-Making Influence): 설득과 영업에서 이러한 편향은 전략적으로 활용될 수 있다. 판매 메시지나 설득 메시지의 끝 부분에 가장 강력한 주장이나 혜택을 제시함으로써 최근성 효과를 활용할 수 있다. 고객들은 마지막에 제시된 정보를 기억하고 영향을 받을 가능성이 높다.

시간적 영향(Temporal Influence): 최신 효과는 정보가 제시되는 시간 순서와 관련이 있다. 정보가 일련의 끝에서 제시될 때 그것은 더 많은 영향을 미친다.

메시지 맞춤(Tailoring Messages): 설득자와 영업인들은 가장 설득력 있는 또는 중요한 부분을 끝에 배치하여 메시지를 구성할 수 있다. 이렇게 하면 가장 영향력 있는 정보가 대상 고객에게 남게 된다.

효과적인 스토리텔링(Effective Storytelling): 스토리텔링에서 최신 효과는 주요 줄거리 전개나 발견을 결말에 남겨 인상을 남기는 데 활용될 수 있다.

오해 피하기(Avoiding Misinterpretation): 설득자는 최신효과가 편향된 인식을 유발할 수 있으므로 신중해야 한다. 균형 잡힌 시각을 제공하고 가장 최근 정보에만 의존하지 않아야 한다.

강화(Reinforcement): 메시지를 강화하기 위해 대화나 프레젠테이션의 끝에 핵심 포인트를 되풀이하는 것은 최신 효과를 활용할 수 있는 효과적인 방법이다.

요약: 최신 효과는 사람들이 가장 최근에 접한 정보나 경험을 기억하고 결정에 영향을 받는 경향을 강조한다. 설득과 영업의 맥락에서 메시지를 전략적으로 타이밍하고 구성하여 결정력과 기억력을 극대화하기 위한 중요성을 강조한다.

> "설득의 예술에서 결론은 마지막 걸작이다."
>
> 속담(Proverb)

■ 최신 효과 활용한 긍정적 사례

✧ 마케팅 소프트웨어 패키지 제안

한 판매 대표가 잠재적인 고객과 만나서 마케팅 소프트웨어 패키지를 제안하는 상황이다.

소개(Introduction): 판매 대표는 따뜻한 인사와 소프트웨어에 대한 간단한 개요로 시작한다.

기능 설명(Features Presentation): 대표는 소프트웨어의 다양한 기능을 제시하며, 그 중에는 분석, 자동화 및 캠페인 추적 등이 포함된다.

고객 사례(Client Testimonials): 프레젠테이션 중간에 대표는 소프트웨어를 성공적으로 활용하여 마케팅 전략을 개선한 만족한 고객들의 후기를 공유한다.

흥미로운 혜택(Compelling Benefit): 프레젠테이션을 마무리하기 직전에, 대표는 소프트웨어의 가장 흥미로운 혜택을 강조한다. 이 혜택은 고객의 캠페인 효율을 크게 향상시킬 수 있는 독특하고 강력한 AI 기반 예측 분석 기능이다.

최신 효과 활용: 최신 효과는 프레젠테이션의 끝 부분에 AI 기반 예측 분석 기능을 전략적으로 배치함으로써 효과적으로 활용된다. 이렇게 하면 고객은 소프트웨어의 가장 놀라운 부분이자 가장 강력한 측면을 기억하게 되며 결정을 내릴 때 이 정보에 더 큰 중요성을 부여할 가능성이 높아진다.

전략적 타이밍(Strategic Timing): 가장 흥미로운 기능을 프레젠테이션의 끝에 배치함으로써 최신 효과를 활용한다. 고객은 이 중요 정보를 기억하고 영향을 받을 가능성이 더 높아진다.

영향력 극대화(Maximizing Impact): 판매 대표는 최신 효과를 활용하여 AI 기반 예측 분석 기능의 영향력을 극대화한다. 이것을 마지막으로 제시함으로써 고객의 기억의 중심이 된다.

결정에 미치는 영향(Influence on Decision): 전략적으로 배치된 기능은 고객의 결정 과정에 더 큰 영향을 미칠 가능성이 높다. 이러한 혜택을 감안하여 소프트웨어를 우선 고려할 가능성이 크다.

후속 강조(Follow-Up Emphasis): 프레젠테이션 이후, 판매 대표는 고객에게 AI 기반 기능의 중요성을 다시 한 번 강조함으로써 이러한 혜택을 강화할 수 있다.

균형 잡힌 접근(Balanced Approach): 최신 효과를 활용하면서도 고객의 종합적인 요구 사항을 고려하고 소프트웨어 솔루션 전체가 고객의 성공에 기여하도록 하는 것이 중요하다.

시사점 :최신 효과를 활용하려면 대면 영업 프레젠테이션의 끝 부분에 가장 흥미로운 소프트웨어 기능을 전략적으로 제시하는 것이다. 이러한 접근은 고객이 가장 최근 정보를 기억하고 호의적인 결정을 내릴 가능성을 높일 수 있다. 그러나 장기적인 성공을 위해 고객의 종합적인 요구 사항을 고려하는 균형 잡힌 접근이 유지되어야 한다.

❖ **주택 구매자 영업**

한 부동산 대표가 잠재적인 주택 구매자와 다양한 부동산을 소개하기 위해 만났다. 부동산 투어 동안, 부동산 대표는 방문할 주택 순서를 전략적으로 계획했다. 중간 가격의 주택부터 시작하여 마지막에 고급 럭셔리 주택을 방문하도록 했다.

최신 효과는 럭셔리 주택을 투어의 마지막으로 남겨두면서 나타난다. 이렇게 함으로써 부동산 대표는 주택 구매자가 방문한 주택 중에서 가장 최근에 본 주택을 기억하려는 경향을 활용하고 있다. 이 경우, 최종적으로 방문한 주택이 고급 럭셔리 주택이다.

기억에 남는 마무리(Perceived Value): 주택 투어를 럭셔리 주택으로 마치면 주택 구매자에게 기억에 남는 인상을 남긴다. 고급 주택의 웅장함과 독특한 특징이 생생하게 기억된다.

인지된 가치(Perceived Value): 최신 효과는 주택 구매자의 가치 지각에 영향을 미친다. 마지막으로 본 주택이기 때문에 고급 주택에 더 높은 가치와 바람직함을 부여할 가능성이 높다.

결정에 미치는 영향(Influence on Decision): 전략적으로 배치된 고급 주택은 주택 구매자의 결정에 영향을 미칠 수 있다. 그들은 최근에 본 내용과 생생한 프레젠테이션으로 인해 고급 주택을 고려할 가능성이 크다.

가족과의 토론(Discussion with Family): 주택 투어 이후, 주택 구매자는 본 주택에 대해 가족이나 친구들과 토론할 가능성이 높다. 최근에 본 고급 주택은 기억상에서 독점할 가능성이 더 크다.

강화(Reinforcement): 팔로우업 대화에서 부동산 대표는 고급 주택의 독특한 특징을 강조하여 선택지 중에서 두드러진 부분임을 강조할 수 있다.

균형 잡힌 접근(Balanced Approach): 최신 효과를 활용하면서도 모든 제시된 주택이 주택 구매자의 요구와 예산과 일치하는지 확인하는 것이 중요하다.

시사점 :최신 효과가 주택 투어의 끝 부분에 고급 주택을 전략적으로 제시함으로써 강력한 인상을 남기고 주택 구매자의 결정 과정에 영향을 미칠 수 있도록 능숙하게 활용된다. 그러나 고객의 종합적인 주택

요구 사항을 고려하는 균형 잡힌 접근을 유지하는 것이 부동산 거래의 장기적인 성공에 필수적이다.

✧ 여행 휴가 패키지 홍보

여행사가 잠재적인 여행객 그룹에게 휴가 패키지를 홍보하고 있다. 여행 대행사는 처음에는 저렴하고 인기 있는 여행지를 소개하며, 프레젠테이션의 마지막 부분에 고급스럽고 독특한 여행지를 서서히 소개했다. 최신 효과는 고급스럽고 독특한 여행지를 프레젠테이션의 마지막 부분에 보여주어 전략적으로 활용된다. 이렇게 함으로써 여행객들은 보다 흥미로운 옵션에 대해 머릿속에 신선한 상태로 가지고 있게 된다.

기억에 남는 마무리(Memorable Ending): 프레젠테이션을 고급스러운 여행지로 마무리하면 생생하고 매혹적인 인상을 남긴다. 독특한 여행지의 매력이 잠재적인 여행객들의 머릿속에 신선한 상태로 남는다.

인지된 가치(Perceived Value): 최신 효과는 여행객이 고급스러운 여행지의 가치를 어떻게 인식하는지에 영향을 미친다. 이 여행지는 최근 제시되었기 때문에 잠재적인 여행객들의 고려에서 중요한 위치를 차지하게 된다.

결정에 미치는 영향(Influence on Decision): 전략적으로 배치된 고급 여행지는 여행객들의 결정에 큰 영향을 미칠 수 있다. 이 여행지는 최근에 소개되었으므로, 그림 같은 휴가를 꿈꾸고 고려할 가능성이 크다.

토론과 흥분(Discussion and Excitement): 프레젠테이션 이후, 잠재적인 여행객들은 가족이나 친구들과 휴가 계획을 논의할 가능성이 높다. 고급 여행지는 가장 신선한 기억이므로 이러한 토론을 주도할 가능성이 크다.

후속 계획(Follow-Up Planning): 후속 대화에서 여행 대행사는 고급 여행지의 독특한 경험과 장점을 강조하여 그 매력을 강화할 수 있다.

균형 잡힌 접근(Balanced Approach): 최신 효과를 활용하면서도 모든 제시된 휴가 옵션이 여행객들의 선호도와 예산과 일치하는지 확인하는 것이 중요하다.

시사점 :최신 효과가 프레젠테이션의 마지막 부분에 가장 고급스럽고 독특한 휴가지를 제시함으로써 여행객들의 결정에 영향을 미칠 수 있도록 효과적으로 활용되고 있다. 그러나 여행 예약의 성공을 위해 여행객들의 종합적인 휴가 요구 사항을 고려하는 균형 잡힌 접근을 유지하는 것이 중요하다.

"마지막 인상은 마치 그림의 마지막 터치처럼
가장 중요한 영향을 미친다."
미상(Unknown)

■   최신 효과 활용한 부정적 사례

✧ 고급 노트북 구매상담

판매원은 잠재적인 고객과 만나 고급 노트북 구매에 대한 논의를 진행하고 있다. 프레젠테이션 중에 판매원은 가장 최신의 고가 노트북 모델을 소개하며 높은 처리 속도와 고급 그래픽과 같은 프리미엄 특징을 강조한다.

부정적인 활용

프리미엄 모델을 먼저 소개한 이후에 좀 더 구형의 저가 노트북 모델을 언급하는 과정에서 부정적 효과가 초래한다. 이 모델에 대한 자세한 사양을 간과하고 앞선 프리미엄 모델과 비교했을 때 덜 매력적으로 보이도록 하는 것이다.

속임수적인 전술: 판매원의 접근 방식은 속임수적인 전술을 포함하고 있으며 먼저 프리미엄 모델을 제시하고 나중에 저가 모델을 부각함으로써 저가 모델의 가치와 능력을 왜곡할 수 있다.

고객의 불신(Potential Customer Distrust): 소비자들은 이러한 전술을 감지하면서 판매원에 대한 신뢰를 상실하고 비즈니스의 평판을 훼손시킬 수 있다. 이로 인해 부정적인 입소문이 퍼질 수 있다.

판매 기회 놓침(Missed Sales Opportunities): 부정적인 활용은 잠재적인 고객들이 프리미엄 노트북에만 집중하게 만들어 그들이 예산에 맞는 다른 옵션을 놓칠 가능성이 있다.

고객 불만(Customer Dissatisfaction): 고객이 나중에 저렴한 모델이 그들의 요구 사항에 더 적합하다는 사실을 발견하면, 그들은 자신의 구매에 불만을 느끼고 다른 옵션을 탐색하지 않았다는 후회를 느낄 수 있다.

장기적인 관계 영향(Long-term Relationship Impact): 신뢰 구축과 장기적인 고객 관계 형성은 판매에서 우선되어야 한다. 부정적인 활용은 이러한 관계의 발전을 방해할 수 있다.

윤리적 고려(Ethical Considerations): 판매 전문가들은 고객 신뢰와 만족을 훼손할 수 있는 전술을 피하고 윤리적 표준을 준수해야 한다.

시사점 :최신 효과의 부정적인 활용이 프리미엄 노트북 모델을 먼저 제시하고 그 후에 저가 모델을 간단히 언급하여 고객을 오도하고 신뢰를 저해하며 만족을 얻지 못할 가능성을 나타낸다. 윤리적이고 투명한 판매 관행은 긍정적인 고객 관계와 장기적인 성공을 유지하기 위해 중요하다.

✧ 여행 패키지 상담

여행 대리점 직원이 부부에게 꿈의 휴가를 계획하는 데 도움을 주고 있다. 상담 중에 여행 대리점 직원은 여러 예산에 걸맞는 여행 목적지에 대해 열정적으로 이야기하며 저렴한 가격과 흥미로운 일정들을 강조한다. 그러나 대화의 끝에서 여행 대리점 직원은 많은 정보를 제공하지 않은 채로 부가적으로 추가되는 고급 크루즈 패키지 옵션에 대해 간단히 언급한다.

부정적인 최신 효과 오용

고급 크루즈를 후미에 소개하고 해당 패키지의 독특한 특징과 이점을 충분히 강조하지 않음으로써 문제를 야기한다. 이로써 해당 패키지는 이전에 논의된 예산 친화적인 여행 옵션과 비교했을 때 덜 관련성이 있고 매력적으로 보일 수 있다.

속임수적인 판매 전략(Deceptive Sales Strategy): 여행 대리점 직원의 접근 방식은 고급 크루즈를 경시하고 부부에게 해당 패키지의 가치나 이점에 대해 충분히 교육시키지 않음으로써 속임수적인 판매 전략을 포함하고 있다. 이로 인해 오해와 불신이 생길 수 있다.

고객의 실망(Customer Disappointment): 부부는 나중에 고급 크루즈가 옵션이 될 수 있었다는 사실을 발견하면 실망하고 오도 당할 수 있다. 이는 여행 대리점에 대한 불만과 거래의 상실을 초래할 수 있다.

놓친 판매 기회(Missed Sales Opportunities): 부정적인 활용은 고객들이 고급 크루즈를 무시하도록 만들 수 있으며, 마지막에 제시되었기 때문에 덜 중요한 것으로 여길 수 있다. 이는 여행 대리점에 판매 기회를 놓칠 수 있다.

고객의 신뢰 퇴색(Erosion of Customer Trust): 이러한 전술의 사용은 여행 대리점 직원과 고객 간의 신뢰를 퇴색시키며 긍정적이고 장기적인 고객 관계를 구축하기 어렵게 만든다.

윤리적 고려(Ethical Considerations): 여행 대리점은 신뢰와 고객 만족을 유지하기 위해 투명성과 정직성을 포함한 윤리적 실천을 우선시해야 한다.

시사점 :최신 효과의 부정적인 활용은 상담의 끝에서 고급 크루즈를 간단한 정보로 제시하여 그 패키지를 덜 매력적으로 만드는 것을 포함하고 있다. 이러한 접근은 고객의 실망, 불신 및 판매 기회를 놓칠 수

있다. 윤리적이고 투명한 판매 실천은 여행 업계에서 긍정적인 고객 관계를 유지하고 성공하기 위해 필수적이다.

———— ❧ ————

일의 끝이 시작보다 낫고 참는 마음이 교만한 마음보다 나으니
전도서 7:8

선거 전의 정치 스캔들(Political Scandals Just Before Election s)

때로는 선거 몇 일 전에 정치 후보에 대한 불리한 정보가 공개되어 최신 효과를 활용한다. 예를 들어, 2016년 미국 대통령 선거 11일 전, 당시 FBI 국장이었던 James Comey는 Hillary Clinton의 이메일 조사를 다시 시작한다고 발표했는데, 이는 선거 결과에 영향을 준 것으로 여겨진다.

오도하는 제품 광고(Misleading Product Advertisements)

몇몇 회사들은 광고의 마지막에서 제품의 긍정적인 측면만 강조하는 경우가 있다. 2009년, Kellogg은 시리얼 광고에서 건강 효능을 오도하게 강조했다는 이유로 400만 달러를 지불해야 했다.

금융 보고서의 지연 발표(Late Release of Financial Reports)

기업들은 때로 나쁜 금융 뉴스를 그들의 재무 보고의 맨 끝까지 지연시킬 때가 있다. 2001년 Enron 붕괴 시, 그들은 재무에 관한 나쁜 소식을 숨겨 왔으며, 이러한 발견의 최근성은 투자자들에게 더욱 충격적이었다.

셀러브리티의 논란(Celebrity Controversies)

셀러브리티의 최근 스캔들은 그들의 이전의 성취를 가리게 된다. 예를 들면, Bill Cosby의 장기간에 걸친 성공적인 경력에도 불구하고, 그의 유산은 2018년의 성폭행으로 인한 유죄 판결로 크게 흐려졌다.

조작적인 판매 전략(Manipulative Sales Tactics)

판매원들은 때로 제품의 숨겨진 비용이나 불이익을 제시하기까지 그들의 설득을 매우 늦출 때가 있다. 이 전략은 긴 판매 피치 뒤에 최종 계약서에서 이전에 논의되지 않았던 조항들을 자주 포함하는 타임셰어 산업에서 자주 볼 수 있다.

"사람들은 당신이 말한 것을 잊어버릴지 모르지만,
어떻게 느끼게 했는지는 절대 잊지 않을 것이다."
마야 앤젤루(Maya Angelou)

■ 최신 효과 활용하는 방법 10가지

전략적인 스토리텔링(Strategic Storytelling)

프레젠테이션 전반에 걸쳐 매력적인 이야기를 만든다. 이야기의 가장 강력한 부분을 결론 부분에 남겨둔다.

예시: 판매자가 고객이 제품을 사용한 후 라이프 스타일이 크게 개선된 사례를 얘기한다.

정보 점진적 증가

프레젠테이션의 복잡성과 심도를 점진적으로 증가시키다. 가장 중요하거나 흥미로운 세부 정보를 마지막에 남겨둔다.

예시: 기술 판매자가 제품의 기능을 단계별로 소개하여 혁신적인 기능을 마지막에 남긴다.

주요 포인트 반복

결론에서 주요 판매 포인트나 이점을 강조한다. 포인트를 간결하게 요약하거나 시각적 자료를 사용하여 강조한다.

예시: 부동산 대리점이 부동산의 우수한 위치와 투자 가능성을 결론에서 다시 강조한다.

신선한 요소(Surprise Element) 및 특별함 강조(Highlighting Unique Benefits)

예상치 못한 또는 놀랄만한 요소, 독특한 이점을 포함해 강조한다. 결론까지 이러한 요소를 숨겨 둔다. 이러한 장점이 상대의 귀중한 요구 사항을 어떻게 해결하는지 설명한다.

예시: 마케팅 프레젠테이션은 제한된 시간 동안만 유효한 특별 할인 혜택을 예기치 않게 공개한다. 보험 대리점이 보험 상품의 독특한 장점, 맞춤형 보상 및 경쟁력 있는 가격과 같은 이점을 강조한다.

기대감 조성(Building Anticipation) 및 소셜 미디어 알람 참여

중요한 공개나 발표를 기대하게 만든다. 긴장감을 쌓기 위해 가장 흥미로운 정보를 결론까지 유보한다.
예시: 제품 출시 이벤트는 프레젠테이션 전반에 걸쳐 긴장감을 조성하며 혁신적인 기능을 공개한다. 플랫폼을 사용하여 팔로워에게 다가오는 거래나 이벤트를 상기시킨다. 지속적이고 최근의 참여는 메시지가 일반적으로 남아 있도록 도와준다.

고객 성공 사례 공유

만족한 고객의 실제 성공 사례와 평가를 공유한다. 이러한 사례를 증거의 마지막 부분으로 제시한다.

예시: 소프트웨어 판매자가 고객의 평가를 공유하며 그 소프트웨어가 고객 비즈니스에 미치는 긍정적인 영향을 강조한다.

긴급성, 막판 프로모션(Urgency and Call to Action)과 핵심 포인트로 행동 요구(Reiteration of Key Points)

긴급함을 느끼게 하고 직접적으로 명확한 행동 요구를 제공한다. 판매가 끝나기 직전에 한정된 시간이나 할인혜택을 강조한다. 긴급성과 행동 요구를 결론부에서 활용한다.

예시: 기부 모금 프레젠테이션은 시급한 기부 요청을 통해 특정 기간 내에 지원을 받아야 하는 사례를 마무리한다.

상대적 우위(Comparative Advantage)

제품이나 솔루션이 경쟁사보다 우수한 점을 강조한다. 이러한 우위성을 프레젠테이션의 막바지에서 부각시킨다.

예시: 자동차 판매자는 연비, 안전 기능 및 보증과 같은 자사 차량의 우수성을 보여주는 비교적 우위성을 제시한다.

미래 비전(Future Vision)과 명확한 마무리

제품이나 서비스와 함께하는 미래를 생생하게 묘사한다. 핵심특징: 이 비전을 결론에서 미래의 가능성과 제품의 핵심 역할을 강조한다.

예시: 재생 에너지 회사는 제품 기술로 지원되는 지속 가능하고 환경 친화적인 미래를 묘사하여 프레젠테이션을 마무리한다.

사후 관리 및 정기적 업데이트

판매 회의 후 즉시 후속 전화를 한다. 이렇게 하면 최근의 당신과 제품에 대한 기억을 강화하여 고객의 마음에 새겨둔다. 계속해서 새로운 콘텐츠, 업데이트 또는 제품 기능을 제공한다. 고객에게 신선한 정보를 자주 업데이트함으로써 최근의 관련성을 유지한다.

예시: 발표 후 보충 자료나 요약을 송부한다. 이렇게 하면 영업제안이 관련성을 유지하여 고객의 고려 사항이 최전선에 유지된다.

시사점

최신 효과를 이러한 방식으로 효과적으로 활용함으로써 귀중한 정보, 감정적 영향 또는 설득적 요소를 판매나 설득 노력의 마지막에 전략적으로 배치하여 기억에 남는 인상을 남길 수 있다.

"마무리는 강력하다. 판매에서 남기는
마지막 인상은 종종 오랜 기억으로 남는다."
제프리 지토머(Jeffrey Gitomer)

☞ 최신 효과(Recency effect) 멘트

"마지막으로 고려해야 할 것은 탁월한 애프터 서비스이지요."
가장 최근의 사항을 강조하면 기억에 남을 가능성이 높다.

"마지막으로, 그리고 가장 중요한 것은 우리 제품은 10년 보증이 제공된다는 것이에요."

기억에 남는 마지막 요점으로 보증을 강조하므로 안심을 준다.

"최종 선택하시면서 오늘 종료되는 특별 혜택을 다시 한 번 말씀 드리겠습니다."
특별 혜택은 긴급함을 강조하며 마지막 정보로 다루면 좋다.

"마지막으로 한 가지 말씀 드리면, 저희 솔루션으로 충분한 시간과 비용을 절약할 수 있습니다."
강력한 혜택에 초점을 맞춘 메시지로 마무리한다.

"마지막으로, 현재 많은 전문가들이 우리 제품을 선택하고 있습니다."
권위에 대한 설득력 있는 호소로 마무리한다.

"결론적으로, 우리만큼 광범위한 보증 기간을 제공하는 경쟁사는 없습니다."
신뢰를 중시 여기는 고객의 마음속에 가장 기억에 남는 마지막 포인트가 되도록 한다.

"마지막으로 말씀 드리고 싶은 것은 차별화하는 한마디로 24/7 고객 지원입니다."
마지막 멘트는 차별화된 숫자로 임팩트를 준다.

"마지막으로 우리 비즈니스의 핵심 가치인 지속 가능성에 대한 노력과 열정을 고려해 주셨으면 합니다."
정서적으로 공감을 불러일으키고 가치 중심적인 요점으로 마무리한다.

"결론입니다. 그 동안 고객들께서는 고객 만족도에서 꾸준히 별 다섯 개를 부여해 주셨습니다."
마지막 정보로 높은 고객 만족도에 대한 인상을 남긴다.

"그리고 기억해야 할 가장 중요한 점은 고객의 특정 요구 사항을 충족하도록 서비스를 맞춤화한다는 것입니다."
고객 중심의 서비스임을 강조하며 마무리 한다.

■ 요약

최신효과는 최근이나 마지막에 받거나 발생한 것을 더 잘 기억하는 인지적 편향이다.
받아들이는 정보의 순서와 시간이 인지와 설득에서 중요한 역할을 한다.
마지막 끝부분에 가장 중요하거나 설득력 있는 정보를 배치하면 효과적이다.

■ 핵심키워드

최신효과(최근성 효과), 시리얼-포지션 효과, 기억력 구조 메커니즘, 시간적 영향, 긴급성, 막판 프로모션

■ 적용 질문

최신효과가 설득과 영업에서 가지는 특징들은 무엇인가?
최신효과가 설득과 영업에서 거둘 수 있는 기대효과는 무엇인가?
최신효과를 효과적으로 활용하기 위한 10가지 방법이 무엇이며, 나에게 강화해야 할 요소는 무엇인가?

제 2 장

예스벗(Yes, but)

"충분한 Yes는 But의 기회를 부른다."
닥터 브라이언(Dr. Brian)

예스벗(Yes, but)

■ 개념

예스벗(Yes, but)기술은 "Yes-But" 기법, 또는 "Yes, and..." 또는
"Yes, but, if..." 기법으로도 알려진 것으로, 다른 당사자의 의견이나
필요에 동의("Yes")하고 나서 자신의 의견이나 영업 제안("But")을 소
개하는 설득과 영업 커뮤니케이션 기법이다. 판매, 협상 및 이해관계를
유지하면서 이의나 우려를 다루어야 하는 상황에서 사용되는 설득적
커뮤니케이션 전략이다. 상대방이 제기한 이의나 우려 사항을 해결하
기 위해 설득과 판매에 자주 사용되는 의사소통 기술의 하나이다. 이
개념은 이의를 인정하는 것("But" 부분)을 중심으로 진행되는 동시에
이의사항을 능가하거나 상쇄하는 긍정적인 측면이나 이점("Yes" 부분)
을 강조하다. 이 기술은 개인의 관심을 장점으로 돌리면서 우려 사항
을 확인하는 것을 목표로 하다. 또한, 의견에 동의하면서도 약속이나
결정을 하기 전에 여러 우려나 반대급부를 제기하는 기술이기도 하다.
여러 반대와 차이점을 극복하고 해결하면서 상대의 관점[6]과 의견을 인
정한다는 점에서 설득력을 한층 높일 수 있다. 어려운 대화[7]와 설득과
정을 건설적으로 해결하기 위한 도구이다. 반면, 설득에 대한 저항력[8]
이 비교적 낮은 대상일 경우 상대의 태도와 결심의 변화로 이어질 수

---

[6] "The Influence of Persuasive Messages on Communication Strategy and
Evaluation", A. Tormala and R. E. Petty (2002)

[7] "Difficult Conversations: How to Discuss What Matters Most", Douglas Stone,
Bruce Patton, and Sheila Heen

[8] "Persuasion and Its Subliminal Double: Psychological Immunity to Attitude
Change Following Covert Persuasion and Its Limits", P. Briñol and R. E. Petty
(2005)

있지만 이미 전략을 알고 이해하고 있는 경우는 덜 효과적[9]일 수 있다. 예스벗(Yes, but) 기법을 내러티브[10]식의 스토리텔링과 통합하면 잠재적인 저항을 더욱 줄이고 더욱 매력적이고 효과적인 설득력을 발휘 할 수 있다.

예스벗의 핵심 근거는 상대방의 관점을 인정함으로써 열린 의사소통과 공감을 유지하는 것이다. 상대방의 반대 의견을 이해하고 해결함으로써 신뢰와 관계를 구축할 수 있다. 예스벗(Yes, but)역학[11]으로 개인의 선택 의지를 유지시키고 존중하면서 더 나은 선택을 하는데 도움이 된다. 그 후 긍정적인 측면과 이점을 제시함으로써 설득자는 대화를 보다 유리한 결과로 이끌 수 있다. 선호하는 옵션이 선택 되기 전에 덜 유리하고 덜 매력적인 [12]대안을 제시한 후 긍정적인 측면을 강조함으로써 의사 결정자가 선호하는 옵션을 견고히 선택하거나 다른 대안이 선택하게 된다.

반대 의견을 적극적으로 경청하고 동의하여 응답("Yes")한 다음 우려 사항을 해결하는 반론, 해결책 또는 이점("But")을 제공하는 것이 포함된다. 이러한 접근 방식은 저항을 완화하고 보다 건설적인 대화를 장려할 수 있다. 그러나 대화가 이의제기에만 지나치게 집중되는 것을 방지하려면 수용과 해결 사이의 균형을 유지하는 것이 중요하다.

반대 의견을 처리하고 이해를 도모하며 긍정적인 결과를 향한 대화를 유도하는 데 매우 효과적일 수 있다. 공감과 논리적 추론을 결합함으

---

[9] "Resisting Persuasion by Suppression of the Mind" , D. Wegner et al. (1987)

[10] "Narrative Persuasion and Overcoming Resistance" , M. C. Green et al. (2004)

[11] "Nudge: Improving Decisions About Health, Wealth, and Happiness", Richard H. Thaler and Cass R. Sunstein

[12] "Contrast Effects in Complex Decision Making", R. H. Klatzky et al. (1989)

로써 설득자는 자신의 제안의 가치와 이점을 보여주면서 반대 의견을 헤쳐나갈 수 있다.

"설득의 예술에서 'Yes, but'으로
건설적인 대화와 해결책으로의 문을 열 수 있다."
미상(Unknown)

■ 핵심 요소

화합 구축(Rapport Building): "Yes" 또는 동의로 시작함으로써 대화에 긍정적인 톤을 부여한다. 이는 다른 당사자의 관점에 대해 열려 있다는 것을 보여주며 신뢰를 구축하는 데 도움이 된다.

공감과 이해(Empathy and Understanding): "Yes"를 말함으로써 다른 사람의 관점, 필요 또는 우려를 인정한다. 상대의 위치를 듣고 이해했다는 것을 보여주며 아이디어에 보다 개방적일 수 있게 만든다.

부드러운 전환(Soft Transition): 기법의 "But" 부분은 다른 사람의 의견을 부드럽게 거부하거나 반박하지 않고 자신의 관점이나 제안을 도입할 수 있게 한다. 대화를 여러분이 원하는 방향으로 움직일 수 있도록 돕는 역할을 한다.

협상 도구(Negotiation Too): "Yes-But"은 협상에서 효과적인 도구일 수 있다. 상충되는 입장을 인정하거나 공통의 토대를 찾으려는 의지를 보여주면서 여전히 이익을 주장할 수 있게 한다.

문제 해결(Problem Solving): 문제 해결 토론에서 사용할 수 있다. 문제를 인정("Yes, 문제를 이해한다")하고 잠재적인 해결책이나 행동 계획("But, 여기에 어떻게 대응할 수 있다...")을 제시한다.

유연성(Flexibility)과 다용도(Versatile): 이 기법은 유연하며 다양한 상황에 적용될 수 있다. 판매, 협상, 갈등 해결 또는 설득이나 영향을 미치는 필요한 상황에서 사용할 수 있다.

과도한 사용 피하기(Avoid Overuse): "Yes-But"을 과도하게 또는 예측 가능하게 사용하면 조작적이거나 진실되지 않다는 인상을 줄 수 있다. 이 기법은 상황과 상호작용에서 현명하게 사용되어야 한다.

귀를 기울이는 기술(Listening Skills): 이 기법을 효과적으로 사용하려면 적극적인 청취가 필수적이다. 다른 사람의 입장을 진정으로 이해하기 위해서이다.

맞춤화(Customization): 의도하고자 하는 상대방의 필요와 우려에 맞게 여러분의 응답을 맞춤화한다. 일반적인 "Yes-But"은 맞춤화된 것보다 효과적이지 않을 수 있다.

합의 도달(Building Consensus): 궁극적으로 목표는 양측에 이익을 주는 합의를 이루는 것이다. "Yes-But" 기법은 차이점을 인정하고 공통의 토대를 찾기 위한 도구로 대화를 원활하게 만드는 데 사용된다.

시사점 : "Yes-But" 기법은 설득과 영업에서 효과적이고 가치 있는 커뮤니케이션 도구이다. 공감과 주장을 균형 있게 조화시켜 더 효과적으로 대화를 진행하고 상호 이익을 달성하는 데 도움을 준다. 그러나 어

떤 기술이든 진정하고 상황에 맞게 사용되어야 성공할 수 있다.

■ 예스벗(Yes, but)을 효과적으로 활용한 대면영업 사례

✧ 고급 주얼리 브랜드 영업

A는 고급 주얼리 브랜드의 영업 대표로, 잠재 고객에게 화려한 다이아몬드 목걸이를 소개하고 있었다. 목걸이의 가격은 10,000달러였다. 목걸이를 칭찬했지만 가격 때문에 망설였으며 "아름다운데 가격이 꽤 비싸요"라고 했다.

"Yes-But" 응답으로 Emily의 가격에 대한 언급에 대해 인정했다. "네, 가격이 상당하다는 것을 이해한다. 그러나 이 목걸이가 왜 그 가격을 할 만한 가치가 있는지 설명해 보겠다"라고 말했다.

목걸이의 우수한 장인 정신, 다이아몬드의 희귀성과 품질, 수명 보증을 강조했다. 또한 목걸이의 영구적인 디자인을 언급하며 이는 여러 세대에 걸쳐 가치를 유지할 것이라고 강조했다. 이 목걸이가 단순한 구매가 아닌 계승되어야 할 보물임을 강조했다.

가격 때문에 초기에 망설이던 고객은 설득력 있는 프레젠테이션에 납득하게 되었다. 목걸이의 장기 가치와 감정적인 의미를 인식했으며 10,000달러의 목걸이를 구매하기로 결정했다.

우려사항 인정(Acknowledge and Validate Concerns): 가격에 대한 우려를 인정하며 공감과 이해를 나타냈다.

독특한 가치 강조(Highlight Unique Value): 제품의 품질, 디자인 및 보증에 대한 구체적인 세부 정보를 제공함으로써 가격을 정당화하는 독특한 가치임을 입증했다.

감정에 호소(Appeal to Emotions): 보석을 상속으로서의 역할을 언급함으로써 구매의 즉각적인 비용을 넘어서 연결을 만들었다.

교육과 정보 제공(Educate and Inform): 제품에 대한 지식을 가지고 고객이 정보에 접근하고 인식을 가질 수 있도록 도와야 한다.

판매 클로징(Close the Sale): "Yes-But" 기술은 고객의 이의를 극복하고 가격에 대한 우려로 인해 놓치게 될 수 있는 판매에 성공적으로 활용될 수 있음을 보여준다.

시사점 :"Yes-But" 기술을 대면 판매에서 생각과 전략적으로 적용할 때 고객의 이의에 대응하고 성공적 결과로 이끌 수 있는 중요한 도구임을 보여준다.

✧ 고급 자동차 판매

A는 자동차 딜러쉽에서 판매원으로 일하고 있었다. 잠재 고객에게 고급 자동차를 판매하려고 했다. 이 자동차의 가격은 70,000달러였고 관심을 가졌지만 높은 가격 때문에 주저하고 있었다. "이 자동차는 정말 좋아 보이지만 제가 생각한 것보다 비싸요." 라고 말했다.

"Yes-But" 기법의 효과적인 사용

걱정을 인정하고 "가격이 중요한 요소인 것을 완전히 이해한다. 그러나

이 자동차가 모든 돈을 충분히 가치 있게 만드는 이유를 설명해 보겠다." 라고 응답했다.

자동차의 안전 기능, 고급 기술 및 탁월한 성능을 강조했다. 이 자동차가 가족의 안전뿐만 아니라 편안함과 스타일을 제공할 뿐만 아니라 투자의 가치도 확보할 것이라 강조했다. 또한 이 자동차의 뛰어난 재판매 가치와 소유에 따른 명성을 언급했다.

초기 가격 때문에 주저했지만 설득력 있는 설명으로 인해 의견이 바뀌었다. 이 자동차를 가족의 안전에 대한 투자로 보고 70,000달러에 구매하기로 결정했다.

시사점

고민 인정: 가격에 대한 우려를 인정하여 공감과 이해를 표현했다.
독특한 가치 강조: 자동차의 독특한 가치를 효과적으로 강조하여 안전, 기술 및 명성에 중점을 두었다.
장기 혜택: 자동차의 장기 혜택과 가치 유지를 강조하여 매력적인 선택으로 만들었다.
감정적 공감대 형성: 가족 안전을 언급함으로써 감정에 호소하여 구매 결정을 더 개인적으로 만들었다.
클로징: "Yes-But" 기법은 초기 가격 이의를 극복하고 판매를 성공적으로 마감하는 데 중요한 역할을 했다.

"Yes-But" 기법을 사용하여 고객의 우려를 해결하고 제품의 독특한 가치와 이점을 기반으로 구매 결정을 설득하는 데 판매에서 활용할 수 있는 방법을 보여준다.

■ 예스벗(Yes, but)을 부정적으로 활용한 대면영업 사례

✧ 고급 주얼리 영업

A는 고급 주얼리 가게의 판매원으로 일하고 있었다. 잠재고객은 약혼 반지를 사려고 했으며 특정한 예산을 생각하고 있었다. 아름다우면서 동시에 가격이 합리적인 반지를 찾고 있었다. 마음에 드는 반지를 찾았지만 가격에 대한 걱정이 있었다.
"당신이 합리적인 가격대의 제품을 원한다는 것을 이해하지만, 이 제품은 저희 가게에서 가장 좋은 반지이며 평생 사용할 수 있을 것이다."

"Yes-But" 기법의 부정적 사용으로 고객은 압박을 느끼고 불편함을 느꼈다. 그 가게에서 반지를 구매하지 않기로 결정했다

유연성 부족(Inflexibility): 고객의 예산을 고려하지 않고 예산 범위 내에서 고민하지 않아 부정적인 인상을 심어주었다. 고객의 예산에 맞는 옵션을 제공하는 유연성은 매우 중요하다.

압박과 도움(Pressure vs. Assistance): 고객에게 압박을 주는 대신, 고객이 올바른 선택을 할 수 있도록 도움을 주고 제안을 해야 한다. 고객 접근이 강압적이며 역효과를 낳았다.

고객 중심 접근(Customer-Centric Approach): 판매는 고객 중심이어야 한다. 예산을 준수하면서도 품질과 아름다움을 제공하는 반지를 찾는 데 중점을 두어야 했다.

신뢰 구축(Building Trust): "Yes-But" 기법의 부정적 사용은 신뢰를 훼손시켰다. 판매에서는 신뢰 구축이 중요하며 지나치게 압박을 가하면 잠재적인 고객을 잃을 수 있다.

시사점 :"Yes-But" 기법이 부정적으로 사용될 때 어떻게 고객의 경험을 해치고 잠재적인 판매를 잃을 수 있는지를 보여주며, 판매 상호작용에서는 더 고객 중심적이고 공감적인 접근이 채택되어야 함을 보여준다

✧ **소프트웨어 영업**

A는 기술 회사의 영업 대표로서 소프트웨어 패키지를 잠재 고객에게 판매하려고 노력하고 있었다. 소프트웨어의 높은 가격과 그것을 예산에 어떻게 맞출 것인지에 대한 우려를 표현했다. 더 저렴한 솔루션이 필요하다고 언급했다.
다음과 같이 대답했다. "네, 예산이 문제라는 것을 이해하지만, 우리 소프트웨어가 시장에서 가장 우수하다는 것은 기정 사실입니다. 그 기능과 역량을 맞춰볼 만한 것은 찾을 수 없을 겁니다. 게다가, 우리 소프트웨어에 투자하는 것은 놓치면 안 될 성장의 기회입니다."

예산상황을 진정으로 이해 받지 않았고 비싼 제품을 강요 받고 있다고 느꼈다. 구매를 진행하지 않기로 결정하고 회사에 대한 부정적인 인상을 갖게 되었다.

예산 부족 무시(Ignoring Budget Constraints): "Yes-But" 기법을 부정적으로 오용함으로써 David의 예산 상황을 무시한 큰 실수를 저질렀다. 영업인은 고객의 재정 한도에 맞는 솔루션을 찾기 위해 협력해야 한다.

가치보다 기능 강조(Pushing Features Over Value): 소프트웨어의 기능에 너무 많은 중점을 두었으며 그것이 비즈니스에 어떻게 가치를 제공하는지 강조하지 않았다. 제품이 고객의 특정 요구 사항을 어떻게 충족시키고 투자 대비 수익을 가져올지 보여주는 것이 중요하다.

친밀도 구축(Building Rapport): 영업인은 고객의 우려를 듣고 협력하여 해결책을 찾아야 한다. 제품을 과도하게 밀어붙이는 것은 고객-영업인 간의 관계를 손상시킬 수 있다.

"Yes, but'의 마법은 이의 제기를
합의의 기회로 변화시킬 수 있는 능력에 있다."
미상(Unknown)

■   예스벗(Yes, but)을 효과적으로 활용하기 위한 10가지 방법

핵심 개념 이해(Understanding the Core Concept)

"Yes-But" 기술은 상대의 우려나 이의를 "Yes"로 인정한 뒤 "But"을 통해 반박 또는 해결책을 제시하는 기법을 포함한다.
이 기술은 다른 사람의 시각을 공감하면서 설득적인 주장으로 원활하게 전환하는 것을 목표로 한다.

예시: 고객이 제품 비용에 대한 우려를 표현하면, "네, 비용이 중요한 고려 요소임을 이해합니다. 하지만 초기 비용을 뛰어넘는 장기적인 절약이 어떻게 이루어지는지 설명해 드릴게요."

적극적인 청취(Active Listening)

"Yes-But" 기술을 사용하기 전에 상대의 이의와 우려를 주의 깊게 청취하여 완전한 이해를 도모한다. 적극적인 청취는 관계를 구축하고 효과적으로 대응하기 위한 기초를 마련한다.

예시: 프로젝트 일정에 대한 고객의 우려를 들을 때, "네, 일정에 대한 우려를 이해합니다. 하지만 우리가 고객님의 요구를 수용할 수 있도록 일정을 조정하는 방법을 논의해 보겠습니다."

공감과 인정(Empathy and Validation)

상대의 감정과 시각을 공감하고 인정하기 위해 공감과 인정으로 시작한다. 이는 긍정적인 분위기를 조성하고 더 건설적인 대화의 문을 연다.

예시: 동료가 업무 상황에 대한 좌절감을 표현하면, "네, 왜 좌절하고 계시는지 이해합니다. 하지만 우리가 함께 해결책을 찾아보는 것이 좋을 것 같습니다."

공통 목표 강조(Highlighting Common Ground)

공통 목표나 공유된 목적을 식별하여 대조적인 시각을 도입하기 전에 공감대를 확립한다. 공통성을 높이는 것은 협력의 느낌을 유발한다.

예시: 협상에서 "네, 우리 모두 상호 이익을 얻고 싶어하는 것 같습니다. 하지만 우리의 이익을 더욱 일치시킬 방법을 생각해 보겠습니다."

근거와 이점 제시(Providing Evidence and Benefits)

이의를 인정한 후 실제 근거를 제시하고 이점을 강조한다. 데이터와 이점을 제시함으로써 주장을 강화한다.

예시: 고객의 가격 이의에 대응할 때, "네, 비용이 고려해야 할 부분임을 이해한다. 하지만 이 가격으로 얻게 되는 추가 가치와 기능을 고려해 보세요."

맞춤형 해결책(Customized Solutions)

"Yes-But" 응답을 특정 이의나 우려에 대응하도록 맞춤화한다. 맞춤형 응답은 진정한 해결을 찾고자 하는 진심을 보여준다.

예시: 고객이 서비스의 적합성에 대한 의문을 표현하면, "네, 처음에는 완벽한 맞춤형이 아닌 것 같을 수 있습니다. 하지만 우리는 우리의 서비스를 정확히 맞춤화하여 고객님의 요구 사항을 충족시킬 수 있습니

다."

순차적으로 이의 다루기(Handling Objections Sequentially)

이의를 하나씩 다루어 "Yes-But" 응답을 제공하며 여러분의 입장을 강화한다. 이 방법은 상대를 압박하지 않고 구조적인 토론을 가능하게 한다.

예시: 고객이 다수의 이의를 제기하면, "네, 여러분의 우려 중 하나씩 다루겠습니다. 먼저 제품의 신뢰성에 대해 이야기해 보겠습니다."

질문 독려(Encourage Questions)

반박을 제시한 후 질문이나 추가 토론을 장려하여 참여를 촉진하고 남은 의문을 명확히 해 준다. 질문을 독려하면 참여가 증가하고 잔여 의문이 명확해진다.

예시: "저희의 'Yes-But' 응답 이후 추가 질문이나 의견을 자유롭게 공유해 주세요."

합의 확인(Seeking Agreement)

반박을 제시한 후 이해하거나 합의 여부를 확인한다. 이해의 폭이 넓어지면 더 생산적인 대화로 이어질 가능성이 높아진다.

예시: "이 접근 방식이 프로젝트에 어떤 이점을 제공하는지 이해하시나요? 고려해 볼 사항이 또 있을까요?"

예의와 정중함 유지(Maintaining Respect and Politeness)

"Yes-But" 기술을 사용하면서 예의와 정중함을 유지한다.
예의 있는 의사 소통은 관계를 유지하고 상대가 주장을 받아들이도록 격려한다.

예시: "당신의 의견을 감사하게 생각하며, 함께 최적의 해결책을 찾을 수 있다고 믿습니다."

"Yes, but' 기술은 의사 소통과 문제 해결에서의 돌파구를 열 수 있다."
미상(Unknown)

☞ Yes-but 멘트

"네, 설치 과정이 걱정되시겠지만 저희 팀이 모든 것을 처리하여 원활하게 전환할 수 있도록 도와드리겠습니다."
걱정을 먼저 공감하고, 설치 복잡성에 대한 우려를 해결하여 안심할 수 있도록 한다.

"예, 이 모델은 처음에 고려했던 것보다 약간 더 크지만 증가하는 요구 사항을 수용하고 향후 업그레이드의 필요성을 방지할 수 있습니다."
크기 우려를 인정하면서도 미래 대비에 초점을 맞춘다.

"예, 이전 버전을 선호하는 분들도 있지만 새 모델은 장기적으로 시간과 비용을 절약할 수 있는 고급 기능을 제공합니다."

이전 모델에 대한 선호를 인정하면서도 새 모델의 이점을 강조한다.

"예, 서비스 플랜이 추가 비용처럼 보일 수 있지만 예상치 못한 수리 또는 유지보수 비용이 발생하지 않도록 보장합니다."
추가 비용은 인정하지만 장기적인 재정적 이점을 강조한다.

"예, 상당한 투자가 필요하지만 운영에 얼마나 많은 효율성과 생산성이 추가될지 고려해보세요."
투자 규모를 인정하면서 효율성 측면에서 얻을 수 있는 수익을 강조한다.

"예, 더 저렴한 대안을 찾을 수 있지만 저희와 동일한 보증 및 구매 후 지원을 제공하는 곳은 없습니다."
더 저렴한 옵션의 존재를 언급하면서도 우수한 보증과 지원을 강조한다.

"예, 납기가 긴 것은 사실이지만 고객의 특정 요구 사항을 충족하기 위해 각 장치를 맞춤 제작하기 때문에 만족도가 더 높습니다."
리드 타임이 길다는 점을 인정하면서도 맞춤화 수준이 높다는 점을 강조한다.

"네, 비슷한 제품이 시중에 나와 있지만 저희는 전담 고객 서비스와 지원으로 차별화됩니다."
기존 유사 제품이 있음을 인정하지만 우수한 고객 서비스를 강조한다.

"예, 현재 프로세스에 변화가 필요하지만 운영을 간소화하고 전반적인 효율성을 개선할 수 있습니다."
필요한 변화를 인정하지만 운영상의 이점에 중점을 둡니다.

"예, 시스템이 복잡해 보인다는 데 동의하지만, 사용하기 쉽도록 광범위한 교육과 사용자 친화적인 인터페이스를 제공합니다."
시스템의 복잡성을 인정하지만 교육과 사용자 친화적인 설계로 안심시킨다.

■ 요약

당사자의 의견에 동의하고 나서 자신의 의견이나 영업 제안을 소개하는 기법이다.
이의제기를 인정하는 것을 중심으로 그것을 능가하는 긍정적인 급부를 제시하는 것이다.
상대의 선택의지를 유지시키고 존중하면서 더 나은 선택을 하도록 돕는다.

■ 핵심키워드

예스벗(Yes, but), Yes, and, Yes, but, if., 경청, 공감과 이해, 부드러운 전환, 순차적 이의 다루기, 유연성과 다용성, 적극적 경청기술, 합의 구축, 질문독려, 예의와 정중함

■ 적용 질문

예스벗이 설득과 영업에서 가지는 특징들은 무엇인가?
예스벗으로 설득과 영업에서 거둘 수 있는 기대효과는 무엇인가?
설득과 영업에서 예스벗을 효과적으로 활용할 수 있는 10가지 방법은 무엇이고 나에게 강화해야 할 요소는 무엇인가?

제 3 장

앵커링(Anchoring)

─────◈─────

"누구든 안정적인 앵커(닻)을 내려주기를 고대한다."
닥터 브라이언(Dr. Brian)

앵커링(Anchoring)

■ 개념

앵커링(Anchoring)은 의사결정을 내릴 때 접하게 되는 첫 번째 정보에 크게 의존하는 인간의 경향을 중심으로 하는 설득 및 판매의 인지적 편향[13]이다. "앵커"라고 알려진 이 초기 정보는 이후의 판단과 선택에 영향을 미치는 기준점 역할을 한다. 앵커링의 개념은 행동경제학과 심리학에 뿌리를 두고 있으며 사람들이 가치, 가격 책정 및 옵션을 인식하는 방식에 중요한 역할을 한다.

특정한 정보나 가치를 기준점이나 "앵커"로 제시한 다음, 그 앵커와 관련된 후속 요청이나 제안을 하는 설득 기법이다. 앵커는 대상이 후속 정보나 요청을 어떻게 인식하는지에 영향을 미칠 것이라는 생각이다.

앵커는 숫자 값, 비교 또는 후속 요청 또는 제안과 관련된 기타 정보가 될 수 있다. 예를 들어, 소매업자는 고가의 품목을 앵커로 광고한 다음, 저가의 품목이 여전히 비쌀 수 있음에도 불구하고 더 매력적인 옵션으로 제시할 수 있다.

앵커링 효과는 우리의 뇌가 새로운 정보를 평가하기 위한 정서적 지름길로 앵커를 사용하기 때문에 발생한다. 초기 형성된 가격적 앵커의 경우라면 고객의 제품에 대한 지불 의지에 영향을 주어 선호도[14]와 결

---

[13] "Judgment Under Uncertainty: Heuristics and Biases", Amos Tversky and Daniel Kahneman (1974)

[14] "Anchoring Effects on Consumers' Willingness-to-Pay and Willingness-to-Accept", Daniel Read and George Loewenstein (1995)

정으로 이어지는 것이다. 앵커에 노출되면 앵커에 대한 새로운 정보의 근접성에 따라 판단이나 결정을 조정하려고 한다. 그러나, 이러한 조정은 초기 앵커링이 결과에 대한 예측을 고정시키기 때문에 초기 앵커를 충분히 조정되기 쉽지 않고 체계적인 편견[15]으로 이어져 편향된 결과를 초래하는 경우가 많다. 기준점에 대한 인지 편향[16]을 형성해 지불 의향에 대한 임계값[17]에 영향을 미치는 것이다. 불확실성하에서는 현재의 결정과 관련이 없더라도 더욱 초기에 제공된 정보에 의존도가 크게 작용하는 경향을 보인다. 초기 앵커에서 강력한 앵커가 상당한 영향을 미치긴 하지만 비합리적인 결정에 이르게 할 정도는 아니다. 학습과 교육 환경에서는 종종 앵커에 대한 단기 노출조차도 학습 성과에 주목할 만한 영향을 미치기도 한다. 설득에서 앵커링 기술의 중요성은 사람들이 종종 결정을 내릴 때 정신적인 지름길, 즉 휴리스틱에 의존한다는 사실에 있다. 앵커링은 사람들이 후속 정보나 요청을 인식하는 방식을 형성함으로써 강력한 휴리스틱 역할을 할 수 있다. 설득자가 원하는 결과에 유리한 닻을 설정함으로써, 설득자는 후속 정보나 요청에 대한 대상의 인식에 영향을 미치고 긍정적인 결과의 가능성을 높일 수 있다.

예를 들어, 자동차 딜러는 고객에게 고가의 고급차를 앵커로 보여준 다음, 저가의 차가 고객의 원래 예산보다 여전히 더 비쌀 수 있음에도 불구하고 보다 합리적인 옵션으로 제시함으로써 앵커링을 사용할 수 있다. 딜러는 높은 가격대에 앵커를 설정함으로써 비교적 저렴한 가격의 차를 더 저렴하고 매력적으로 보이게 하기를 바라고 있다.

---

[15] "The Role of Anchoring in Judgment and Decision Making", Thomas Mussweiler and Fritz Strack (1999)

[16] "Judgment Under Uncertainty: Heuristics and Biases", Amos Tversky and Daniel Kahneman (1974)

[17] "The Perils of High Reference Points", Christopher K. Hsee (1996)

가격 책정 전략에서 목표 제품보다 더 높은 가격의 옵션을 제시하면 목표 가격이 더 합리적이고 매력적으로 보일 수 있다. 협상에서는 극단적인 제안으로 시작하는 것이 더 유리한 합의로 이어질 수 있다. 앵커링은 초기 가격을 설정하거나 프리미엄 패키지를 제시하는 것이 고객의 가치 인식을 안내할 수 있는 강력한 판매 도구이다.

앵커링은 조작에 관한 것이 아니라 인간의 의사 결정이 어떻게 작동하는지 이해하는 것이 중요하다. 전략적으로 앵커를 도입함으로써 기업은 고객의 인식을 형성하고 선택을 안내하며 유리한 결과의 잠재력을 극대화할 수 있다. 그러나 신뢰를 구축하고 장기적인 고객 관계를 유지하려면 앵커링을 윤리적이고 투명하게 사용해야 한다.

앵커링 기술은 윤리적인 방법과 비윤리적인 방법으로 모두 사용될 수 있다는 점에 유의해야 한다. 앵커링의 윤리적 사용은 기술을 투명하게 사용하고 후속 요청 또는 제안과 관련된 앵커를 설정하는 것을 포함한다. 앵커링의 비윤리적인 사용은 관련이 없거나 오해의 소지가 있는 앵커를 설정하는 것을 포함하며, 이는 기만적이고 조작적일 수 있다.

부동산 매매에서의 경우, 부동산 중개인들은 종종 주택 구매자들이 제안을 하도록 설득하기 위해 앵커링 기술을 사용한다. 예를 들어 닻을 내릴 예산 밖의 고가 부동산을 구매자에게 보여준 뒤 여전히 예산보다 높은 저가 부동산을 보여주는 식이다. 고가 부동산을 닻으로 설정함으로써 저가 부동산이 더 합리적이고 매력적으로 보일 수 있어 매수자가 매물을 내놓을 가능성이 높아진다.

협상에서 협상가들은 상대방이 유리한 거래에 동의하도록 설득하기 위해 앵커링을 사용할 수 있다. 예를 들어, 그들은 닻을 내리기 위해 그들이 받을 것으로 예상되는 것보다 더 높은 최초 가격을 제시 할 수 있다. 그러면 그들은 그들의 원래 예상보다 여전히 높은 더 합리적인 대안을 제시할 수 있고, 그에 비해 그 대안은 더 유리해 보인다.

메뉴 설계에서 식당들은 앵커링을 이용하여 고객들이 메뉴에 있는 특정 품목들을 주문하도록 설득할 수 있다. 예를 들어, 메뉴의 맨 위에 비싼 요리를 놓고, 그 다음에 덜 비싼 음식들을 순차적으로 배치 한다. 비싼 품목을 앵커로 설정함으로써, 나머지 메뉴는 더 저렴해 보이고 더 많은 주문을 유도할 수 있다.

■ 핵심 요소

초기 정보의 중요성(Initial Information Matters): 앵커링의 주요 교훈은 고객에게 제시하는 초기 정보나 가격이 그들의 가치 판단에 큰 영향을 미칠 수 있다는 것이다. 따라서 앵커를 전략적으로 선택하는 것이 중요하다.

가격 설정(Price Framing): 앵커링은 주로 가격 전략에서 사용된다. 예를 들어 고객에게 낮은 가격 대안을 제시하기 전에 높은 가격 옵션을 먼저 보여주면 낮은 가격은 더 합리적이거나 심지어는 특가로 보일 수 있다.

가치 인식(Perceived Value): 앵커링은 고객이 제품이나 서비스의 가치를 어떻게 인식하는지에 영향을 미칠 수 있다. 높은 앵커는 중간 가격의 제품이 좋은 거래로 보이게 하고, 낮은 앵커는 비싸게 느끼게 할 수 있다.

협상(Negotiation): 앵커링은 협상에서도 효과적이다. 판매자로서 높은 초기 제안을 시작하면 협상을 제안자 입장에서 유리하게 만들 수 있다. 반대로 구매자로서 낮은 대안 제안을 시작하면 보다 유리한 앵커를 설정할 수 있다.

문맥의 중요성(Context Matters): 앵커가 제시되는 문맥이 중요하다. 앵커가 결정과 관련이 있는 경우에 앵커링이 가장 효과적이다. 예를 들어 자동차를 판매할 때, 럭셔리 자동차의 가격으로 앵커를 설정하는 것이 비슷한 모델의 가격으로 앵커를 설정하는 것보다 효과적일 수 있다.

윤리적 고려(Ethical Considerations): 앵커링은 강력한 도구일 수 있지만, 윤리적으로 사용해야 한다. 고객을 인위적으로 높은 앵커로 속이는 것은 신뢰를 훼손하고 장기적으로는 평판에 손상을 줄 수 있다.

유연성(Flexibility): 고객의 반응과 피드백을 기반으로 앵커를 조절할 준비를 해야 한다. 고객이 앵커를 합리적으로 인식하지 못할 경우, 유연하게 협상할 준비가 필요하다.

테스트와 학습(Testing and Learning): 특정 대상군에게 앵커링이 어떻게 작용하는지 이해하기 위해 실험은 중요하다. 다양한 앵커 포인트를 시험하고 고객의 반응을 모니터링하여 시간이 지남에 따라 전략을 개선한다.

고객의 이해(Customer Knowledge): 일부 고객은 앵커링 개념을 이해할 수 있으므로 특히 신중하게 사용해야 한다. 이러한 경우에는 앵커링의 효과가 줄어들 수 있으므로 신중한 사용이 중요하다.

다른 설득 기술과 결합(Combine with Other Persuasion Techniques): 앵커링은 종종 희소성, 사회적 증거 등과 같은 다른 설득 기술과 결합하여 사용할 때 더 강력하다. 이러한 기술을 결합하면

보다 효과적인 영업 전략을 만들 수 있다.

"처음 제안은 그 뒤에 오는 모든 것을 결정한다."

윌리엄 진서 (William Zinsser)

■ 앵커링(Anchoring)의 대표적인 사례들

부동산 가격 전략: 부동산 중개인이 부동산을 120만 달러에 등록하고 의도적으로 더 높은 기준 가격을 설정했다. 여러 제안을 받은 후 해당 부동산은 예상 시장 가치인 $900,000보다 높은 $100만 달러에 판매 되었다.

레스토랑 메뉴 가격(Menu Pricing in a Restaurant): 고급 레스토랑에 서는 $150 가격의 "고급" 요리를 메뉴 상단에 배치하여 다른 항목에 대한 기준점을 만들었다. 고객은 $70-$80 정도의 가격이 책정된 요 리를 선택할 가능성이 더 높으며 더 높은 가격의 앵커에 비해 합리적 이라고 인식한다.

기술 제품 번들 (Technology Product Bundles): 전자제품 소매업체 에서는 노트북, 액세서리, 소프트웨어가 포함된 프리미엄 번들을 2,500달러에 제공하고 소규모 번들도 제공했다. 고객은 $1,200 번들 을 더 높은 가격의 앵커에 비해 더 나은 가치로 인식하여 선택하는 경 향이 있다.

협상 전략(Negotiation Strategy): 급여 협상 중 후보자가 처음에 예상보다 높은 급여를 제안하여 앵커 역할을 했다. 최종 협상된 급여는 후보자의 초기 기준에 더 가까워져 처음 예상했던 것보다 더 높은 급여를 받게 된다.

온라인 소매 할인(Online Retail Discounts): 온라인 소매업체는 제품의 원래 가격인 $200에 대해 한시적으로 30% 할인을 제공했다. 기준 가격이 더 높은 가치에 대한 초기 인식을 설정하므로 할인 후에도 고객은 좋은 거래를 인식했다.

시사점 :앵커링이 어떻게 고객의 가치 인식에 효과적으로 영향을 미치고 의사 결정을 안내하며 다양한 판매 및 설득 시나리오에서 원하는 결과를 얻을 수 있는지 보여준다. 앵커링 기술을 능숙하게 사용함으로써 기업은 고객의 지불 의향을 형성하고 구매 결정을 유도하며 궁극적으로 고객의 성공에 기여하는 기준점을 만들 수 있다.

기만적인 자동차 판매 상황: 자동차 판매원이 차량 가격을 $40,000라는 높은 기준 가격으로 제시하여 고객이 $30,000의 실제 가격으로 큰 거래를 받고 있다고 믿게 만들었다. 고객은 다른 방법으로는 고려하지 않았을 수도 있는 구매를 해야 한다는 압박감을 느끼고, 실제 가치를 알게 되면 구매자는 후회하게 된다.

고가의 명품 브랜드(Overpriced Luxury Goods): 한 명품 브랜드는 제품 가격을 $10,000라는 엄청난 금액으로 책정하여 다른 제품의 기반을 마련했다. 고객은 적당한 가격의 품목이라도 비싸다고 인식하여 매출 감소와 브랜드 평판 손상으로 이어진다.

합당하지 않은 소프트웨어 가격(Unjustified Software Pricing): 한 소프트웨어 회사가 자사 제품의 "프리미엄" 버전을 500달러에 출시하고 기본 버전은 100달러에 출시한다. 둘 사이에는 실질적인 차이가 없다. 고객은 제품 구매에 대한 조작을 느끼며 부정적인 리뷰를 초래하고 전체 매출이 감소한다.

불필요한 상향 판매(Unnecessary Upselling): 고객이 800달러짜리 노트북을 구입하기 위해 전자제품 매장을 방문했다. 영업사원은 1,500달러의 프리미엄 모델을 제안하므로 800달러짜리 노트북이 더 합리적으로 보였다. 고객은 의도하지 않은 구매에 대한 압박감을 느낄 수 있으며, 이는 구매자의 후회와 부정적인 입소문으로 이어질 수 있다.

오해의 소지가 있는 여행 패키지(Misleading Travel Packages): 여행사가 "50% 할인" 프로모션으로 휴가 패키지를 광고했지만 원래 가격이 부풀려져 할인 효과가 덜해졌다. 고객은 패키지의 진정한 가격수준을 알았을 때 속임과 실망감을 느끼게 되어 신뢰를 잃게 될 수 있다.

시사점 :고객의 인식을 조작하기 위해 앵커링을 비윤리적으로 사용하여 불신, 불만, 부정적인 고객 경험과 같은 바람직하지 않은 결과를 초래한다는 점을 강조한다. 기업이 고객 신뢰를 유지하고 장기적인 관계를 육성하려면 책임감 있고 투명하게 앵커링을 사용하는 것이 중요 하다.

"높게 시작하고 내려가라."
크리스 보스 (Chris Voss)

■   앵커링(Anchoring)을 효과적으로 활용한 대면 영업 사례들

✧ **명품 시계 판매 상담**

A는 고급 명품 시계를 판매하는 숙련된 판매원으로, 명품 보석 가게에서 일하고 있었다. 잠재 고객이 들어와 명품 시계를 구매하려고 했다. 5,000달러에서 6,000달러 사이의 가격대에서 시계를 찾고 있었다.

고객과 상호작용할 때, 우선 15,000달러로 가격이 정해진 한정판 시계를 보여주었다. 그 시계의 섬세한 세공, 독특한 디자인, 특별한 소재 등을 강조하며 시작 앵커로 활용했다. 높은 앵커로 시작함으로써 참고할 수 있는 기준점을 만들었다.

다음으로 9,000달러에 가격이 정해진 시계를 보여주었는데, 그 시계를 가게 내에서 "가장 가치 있는" 옵션으로 소개했다. 이 시계의 특징, 품질 및 희소성을 15,000달러짜리 시계와 비교하여 가격과 가치 면에서 합리적인 선택으로 보이게 했다.

마지막으로 원래 예산 범위 내에 있는 6,500달러에 가격이 정해진 시계를 제시했다. 원래 5,000달러에서 6,000달러 사이를 계획했지만, 이 시계는 훌륭한 가치로 느끼게 되어 6,500달러짜리 시계를 구매하게 되었다.

높게 시작(Starting High): 높은 가격대의 상품으로 시작함으로써 고객의 기대를 앵커링하고 6,500달러짜리 시계가 더 저렴하게 느껴지도록 했다.

가치 인식(Value Perception): 앵커링은 처음에 고려하지 않았던 예산을 넘어가더라도 6,500달러짜리 시계를 지불할 만한 가치 있는 구매로 인식하게 도왔다.

비교 판매(Comparative Selling): 다양한 시계와 그들의 특징을 비교하여 고객에게 정보를 제공함으로써 고객은 자신이 정보에 기반해 결정을 내린 것으로 느꼈다.

기준점 생성(Creating a Reference Point): 앵커링은 고객이 처음 예산 내에서 고려했던 제품에 대한 인식을 바꿀 수 있는 기준점을 만들어냈다.

효과적인 커뮤니케이션(Effective Communication): 각 시계의 독특한 특성을 효과적으로 전달하여 제시했던 제품의 가치에 대한 인식을 높였다.

시사점 :어떻게 앵커링이 대면 판매에서 효과적으로 사용되어 고객의 선택에 영향을 주고 초기에 고려하지 않았던 구매를 이끌어내는 데 기여할 수 있는지를 보여주는 사례이다.

✧ **부동산 중개 상담**

A는 부동산 에이전트로, 고객 커플에게 교외 지역의 다양한 주택을 보여주고 있었다. 첫 주택을 찾고 있었으며 30만 달러의 예산을 가지고 있었다. 이 지역의 주택 가격이 25만 달러에서 40만 달러까지 다양하

다는 것을 알고 있었다.

그들의 투어 중, 40만 달러에 가격이 책정된 아름다운 주택을 먼저 보여주었다. 이 주택의 넓은 구조, 현대적인 편의 시설 및 명품 이웃을 강조했다. 이 높은 가격의 주택은 초기 앵커로 작용했다.

다음으로, 35만 달러에 가격이 책정된 주택을 보여주었고, 이 주택을 지역과 기능을 고려할 때 "우수한 매물"이라고 설명했다. 이 주택이 40만 달러짜리 주택과 유리한 비교를 할 만하다고 강조했다. 이것은 35만 달러짜리 주택을 저렴한 가격으로 보이게 했다.

마지막으로, 예산 내에 있는 30만 달러짜리 주택을 보여주었다. 이 주택은 그들의 예산 안에 있으며, 이 주택이 35만 달러짜리 주택보다 더 저렴하다는 점을 강조했다. 그 결과, 30만 달러짜리 주택을 선택했다. 그들은 40만 달러짜리 주택과 비교했을 때 훌륭한 제안을 받았다고 느끼며, 예산 내에서 이주를 선택했다.

앵커 설정(Setting the Anchor): 효과적으로 40만 달러짜리 주택을 높은 앵커로 설정하였으며, 고객의 가치 인식에 영향을 미쳤다.

비교적 가치(Comparative Value): 조금 더 저렴한 옵션을 보여주면서, 35만 달러짜리 주택을 유리한 선택으로 만들었다.

예산 친화적 옵션(Budget-Friendly Option): 30만 달러짜리 주택은 높은 가격의 주택과 비교했을 때 예산에 맞는 선택으로 보였다.

인식된 가치(Perceived Value): 앵커 설정은 가치 인식을 조성하여 고객이 그렇지 않았을지도 모를 옵션을 선택하게 한다.

예산에 맞게 조정(Tailoring to Budget): 최종 선택이 고객의 예산 내에 있도록 하여 그들의 금전적 제약을 충족시켰다.

시사점 : 부동산 판매에서 앵커를 효과적으로 사용하여 고객의 선택을 이끌어내고 그들의 예산 내에서 부동산을 보다 매력적으로 만드는 방법을 보여준다.

"사람들은 비록 임의로 설정했더라도 첫 번째 숫자에 더 영향을 받는다"
댄 아리얼리 (Dan Ariely)

■   앵커링(Anchoring)을 부정적으로 이용한 대면 영업 사례들

✧   노트북 영업에서 앵커 사용의 오용

A는 전자제품 매장에서 새 노트북을 살 생각으로 방문했다. 특정 예산을 생각하고 있었으며 그 예산 안에서 구매할 수 있는 노트북을 찾고 있었다. 노트북을 둘러보던 중, 그에게 접근했다.

가격이 2,000달러인 최신 모델의 고급 노트북을 보여주었다. 노트북의 탁월한 사양과 기능을 강조하기 시작했고 가격표를 보여주었다. 처음에 높은 가격에 놀랐지만 설명을 주의 깊게 듣고 있었다.

비싼 노트북에 대한 논의를 마치고, 가격이 1,000달러인 중급 노트북을 보여주었다. 이 노트북이 방금 전에 보여준 2,000달러짜리 노트북에 비해 "할인된 제안"임을 강조했다. 2,000달러짜리 노트북을 앵커로 사용하여 1,000달러짜리 노트북을 정말 좋은 거래로 보이게 했다.

2,000달러짜리 노트북과 비교해 싸게 느껴지자, 1,000달러짜리 노트북을 구매하기로 결정했다.

불필요한 앵커링(Unnecessary Anchoring): 고객의 예산이나 필요에 관련이 없는 높은 가격의 노트북을 앵커로 사용했다. 이로 인해 중급 노트북의 가치에 대한 거짓된 느낌이 만들어졌다.

인식 조작(Manipulating Perception): 노트북 가치에 대한 고객의 인식을 조작했다.

원치 않는 구매(Unwanted Purchases): 실제 요구 사항이나 금전적 예산과 부합하지 않을 수도 있는 노트북을 구매했다.

신뢰 저해(Trust Erosion): 이러한 부정적인 앵커링 전술은 판매원과 고객 사이의 신뢰를 저해하며 부정적인 쇼핑 경험으로 이어질 수 있다.

고객 요구 사항 이해(Understanding Customer Needs): 판매원은 관련 없는 앵커 포인트를 사용하는 대신 고객의 특정 요구 사항과 예산을 이해하는 데 중점을 두어야 한다.

시사점 : 앵커링을 부정적으로 사용할 때 고객이 실제로 필요하거나 금전적 한도와 일치하지 않는 구매를 할 수 있으며, 윤리적인 영업 방법과 고객의 특정 요구 사항을 이해하는 중요성을 강조한다.

✧ 부동산 판매에서 앵커 사용의 오용

A는 부동산 에이전트로, 판매자가 그의 교외 주택을 판매하길 원했다. 판매자는 특정 가격을 원했지만, 앵커링을 사용하면 더 높은 판매 가격을 유도할 수 있을 것이라고 생각했다.

잠재적인 구매자가 방문할 때, 사양과 기능을 보기 전에 고급으로 꾸며진 집을 보여주기로 결정했다. 이 "앵커"는 특별한 업그레이드된 버전의 주택으로 제시되었다.

투어 중에 집의 고급 기능을 모두 강조했으며, 대리석 카운터부터 뒷마당 수영장까지 모든 멋진 특징을 보여주었다. 그런 다음 구매자들을 판매자의 실제 주택을 보러 데려갔는데, 이 주택은 비교적 간소했다.

이미 고급 앵커에 묶인 구매자들은 판매자의 실제 주택을 덜 가치 있게 인식하고 중요한 가격 인하를 기대했다. 실제 주택은 시장에 합리적으로 가격이 책정되어 있었지만, 구매자들의 인식은 초기 앵커링에 의해 부정적으로 영향을 받았다.

결과적으로 구매자들은 판매자가 받아들일 의사가 아닌 낮은 제안을 제출하여 실패로 끝났다.

시사점

오용된 앵커링(Misleading Anchoring): 오용된 앵커를 사용하여 구매자들의 마음에 비현실적인 기대를 만들었다.

실망(Disappointment): 구매자들은 실질적 기능을 보고 고급 앵커와 일치하지 않아 실망하였으며, 그 결과 낮은 제안을 제출했다.

신뢰 손상(Trust Erosion): 부동산 에이전트와 구매자 간의 신뢰가 앵커를 잘못 사용하는 것으로 인해 손상되었다.

정직과 투명성(Honesty and Transparency): 부동산 에이전트는 부동산의 기능과 가격에 대해 투명해야 하며, 오용된 전술을 피해야 한다.

구매자의 요구 파악(Understanding Buyer Needs): 성공적인 판매를 위해 구매자의 요구와 선호도를 이해하는 것이 중요하며, 앵커링 기술만 의존하는 것이 아니다.

시사점 : 부동산 판매에서 앵커링을 오용하면 오해, 불신 및 거래 실패로 이어질 수 있다는 점을 보여주며, 이 업계에서의 윤리적이고 정직한 실천의 중요성을 강조한다.

"초기 숫자는 전체 협상 과정에서 중요한 역할을 한다."
로저 도슨 (Roger Dawson)

■ 앵커링(Anchoring)을 효과적으로 활용하는 10가지 방법

프리미엄 가격으로 앵커링(Anchoring with Premium Pricing)

높은 가격의 제품 또는 패키지를 제시한다. 이를 통해 후속 옵션은 더 저렴하게 보인다.

예시: 소프트웨어 회사는 표준 및 기본 요금제를 제시하기 전에 프리미엄 버전을 제공한다.

번들 제공(Bundle Offerings)

번들 형태의 제품이나 서비스 패키지를 만든다. 전체 패키지 가격은 개별 항목의 앵커로 작용한다.

예시: 스트리밍 서비스는 다양한 기능을 제공하는 번들을 할인된 가격에 제공한다.

비교 가격(Comparative Pricing)

목표 제품 근처에 높은 가격의 대안을 표시한다. 비교할 때 중간 옵션이 더 합리적으로 보인다.

예시: 전자 제품 가게는 중간 가격대 모델과 함께 고급 노트북을 전시한다.

제한 시간 할인(Limited-Time Discounts)

시간 제한 프로모션을 강조한다. 긴급성은 고객들로 하여금 조치를 취하고 정상 가격에 앵커를 둘 수 있게 한다.

예시: 온라인 소매업체는 "48시간 판매"를 강조하여 할인된 가격을 제공한다.

유인 가격(Decoy Pricing)

주요 선택지의 가치를 강조하는 덜 매력적인 대안을 제공한다. 고객은 더 나은 옵션을 선택하는 경향이 있다.

예시: 커피숍은 작은, 중간, 큰 사이즈의 커피를 제공하여 중간 옵션이 가장 매력적으로 보이게 한다.

고객 리뷰와 사회적 입증(Testimonials and Social Proof)

긍정적인 리뷰를 고객들에게 공유한다. 신뢰성 있는 고객 사례는 앵커로 작용하여 신뢰성을 높인다.

예시: 온라인 웹 사이트는 제품 페이지에 고객 리뷰와 평가를 포함시킨다.

계층별 가격 구조(Tiered Pricing Structures)

다양한 기능이나 혜택을 가진 옵션을 제시한다. 고객은 자신의 필요에 맞게 선택을 할 수 있게 앵커를 두게 된다.

예시: 소프트웨어 회사는 애플리케이션의 기본, 프로 및 엔터프라이즈 버전을 제공한다.

유연한 결제 방식(Flexible Payment Plans)

다양한 예산에 맞게 다른 결제 옵션을 제공한다. 고객은 자신의 재정 상황과 일치하는 결제 계획에 앵커를 둘 수 있다.

예시: 자동차 딜러는 월별 및 연간 결제 옵션을 포함한 자동차 할부 옵션을 제공한다.

시각적 비교(Visual Comparisons)

차이와 이점을 강조하기 위해 시각적 자료를 사용한다. 시각적 자료는 고객이 자신의 결정에 앵커를 두기 쉽게 도와준다.

예시: 스마트폰 제조업체는 사양과 기능을 강조하는 비교 차트를 전시한다.

위험 보증(Risk-Reversal Guarantees)

만족 보증이나 환불 보증을 제공한다. 구매의 인식된 위험을 줄이고 만족의 확신에 앵커를 둘 수 있게 한다.

예시: 온라인 매트리스 판매업체는 100일 동안의 리스크 없는 체험을 제공한다.

" 지혜로운 기준점은 협상의 길잡이다.."
톰 홉킨스 (Tom Hopkins)

☞ 앵커링(Anchoring) 멘트

"대부분 프리미엄 패키지로 시작하지만 더 간단한 것을 찾고 있다면 더 기본적인 옵션도 있습니다."
프리미엄 옵션을 앵커로 설정하면 다른 옵션이 더 저렴해 보인다.

"이 모델은 베스트셀러로 보통 200만원의 가격이 책정되지만 이번 달에는 150만원으로 제공됩니다."
앵커로 초기 가격을 높게 책정하여 현재 가격을 더 매력적으로 보이게 한다.

"일반적으로 이와 같은 서비스는 한 달에 50만원 정도이지만 저희 플랜은 35만원부터 시작합니다."
거래의 가치를 강조하기 위해 더 높은 업계 표준 가격으로 앵커를 생성한다.

"이것은 가장 고급 모델 중 하나로 120만원에 판매되지만, 더 경제적인 모델을 보여드리겠습니다."
고가 품목을 앵커로 사용하여 다른 모델이 더 예산 친화적으로 보이도록 한다.

"보다 경제적인 라인에 대해 논의하기 전에 먼저 고급 제품을 보여드리겠습니다."
하이엔드 제품을 먼저 소개하여 기대치를 설정하면 더 저렴한 라인이 매우 합리적으로 보일 수 있다.

"경쟁사에서는 일반적으로 50만원의 설치 수수료를 부과하지만, 저희

는 이 수수료를 전액 면제했습니다."
경쟁사의 높은 수수료를 예로 들어 비용 절감 효과를 강조한다.

"이 소프트웨어를 30만원에 판매했지만 한시적으로 20만원으로 가격을 인하했습니다."
기존의 높은 가격을 앵커로 설정하여 새로운 가격을 더 매력적으로 만든다.

"이 정도 규모의 프로젝트의 경우 1000만원 이상을 지불해야 하지만, 저희 솔루션은 750만원에 불과합니다."
예상 가격이 더 높은 앵커를 사용하면 제안에 대한 수용성을 높일 수 있다.

"예산이 100만원 정도라고 들었습니다. 어떤 옵션이 있는지 확인하실 수 있도록 조금 더 높은 옵션을 먼저 보여드리겠습니다."
더 높은 가격의 옵션을 먼저 보여 주므로 예산 옵션이 더 합리적으로 느껴진다.

"이 독점 모델은 일반적으로 최상위 고객을 위해 예약되어 있는데요, 300만원 가치가 있지만 단 200만원에 제공해 드릴 수 있습니다."
고가 앵커를 설정하여 영업 제안이 독점적이고 더 바람직하게 보이도록 한다.

■   요약

앵커링은 의사결정 시 처음 정보에 크게 의존하는 인지적 편향에 기인한다.
행동경제학과 심리학에 뿌리를 두고 가치, 가격 등을 인식하는 방식에 중요한 영향을 미친다.

설득자가 원하는 결과에 유리한 닻을 설정하고 후속 정보와 요청에 대해 영향을 미쳐 긍정적인 결과를 도출한다.

■   **핵심키워드**

앵커링, 닻 고정, 기준점, 인지적 편향, 어림짐작(휴리스틱), 정서적 지름길, 계층별 가격구조

■   **적용 질문**

앵커링이 설득과 영업에서 가지는 특징들은 무엇인가?

앵커링으로 설득과 영업에서 거둘 수 있는 기대효과는 무엇인가?

설득과 영업에서 앵커링을 효과적으로 활용할 수 있는 10가지 방법은 무엇이고 나에게 강화해야 할 요소는 무엇인가?

제 4 장

시각화(Visuals)

"보여주는 것이 천마디 호소보다 낫다."
닥터 브라이언(Dr. Brian)

시각화(Visuals)

■ 개념

시각화(Visuals)는 그래픽 표현, 이미지 또는 시각적 보조 도구로 효과적으로 의사 소통을 강화하고 정보를 전달하는 데 사용된다. 설득의 맥락에서 시각 자료는 주목을 끌고 복잡한 아이디어를 단순화하며 감정적 반응을 유발하는 데 중요한 역할을 한다. 시각 자료는 시각적 정보 처리에 대한 본성적인 인간의 선호를 활용하여 메시지를 더 기억에 남고 영향력 있게 만든다. 시각 자료에는 차트, 그래프, 인포그래픽, 비디오 및 이미지가 포함되며 이를 통해 상대에게 다중 감각 경험을 제공한다. 논리와 감정을 모두 활용하여 시각 자료는 주장을 더 강력하고 설득력 있게 만들어 의사 소통자가 신뢰를 구축하고 결정에 영향을 미칠 수 있도록 한다.

인간은 시각 처리에 상당한 뇌 부분을 할당하는 높은 시각적 생물이다. 연구에 따르면 시각 자료는 정보 보유율을 최대 65%까지 향상시킬 수 있으며, 이는 설득에 강력한 도구이다. 시각 자료는 패턴 인식과 같은 인지적 과정을 활용하여 복잡한 개념을 빠르게 이해하는 데 도움을 줍니다. 시각 자료는 언어 및 문해력의 장벽을 허물어 다양한 상대에게 메시지를 접근 가능하게 만든다. 시각적 요소가 기억력, 이해력[18], 동기를 향상시켜 참여도와 수용 결과를 향상시킨다. 게다가 시각 자료는 감정과 기억과 관련된 뇌 영역을 자극하여 감정적 연결을 만들어 낸다. 시각적 단서와 아미지가 주의를 집중시키고 정서적 감정[19]을 불러 일으키며 구매 결정과 같은 고객 행동을 유도한다. 인간의 두뇌로 집중하고 이미지를 처리하고 인식하는, 시각적 요소 뒤에 숨어 있는

---

[18] "The Power of Visuals in eLearning", T. Kapp (2014)
[19] "Visual Marketing: From Attention to Action", D. A. Aaker and V. Kumar (2013)

인지 과정[20]을 작동하여 정보와 메시지를 효과적으로 전달하는 데 유용한 도구이다.

이로 인해 설득 전략에 시각 자료를 통합하면 참여, 이해도 및 원하는 결과의 가능성이 높아진다. 고객의 관심을 끌고 메시지를 전달하는 마케팅 노력[21]의 전반적인 효과를 높이는데 중요한 역할을 한다.

시각 자료는 인간의 시각 처리 경향을 이용하여 의사 소통을 강화한다. 시각 자료는 복잡한 아이디어를 단순화하고 참여를 증가시키며 감정을 유발한다. 시각 자료는 언어적 장벽을 극복하며 다양한 상대에게 호소한다. 복잡한 정보를 효과적으로 전달하여 더 나은 의사 결정[22]과 커뮤니케이션을 가능하게 한다. 정보 보유율과 이해도에 큰 영향을 미친다. 설득 전략에서 시각 자료를 활용하면 신뢰 구축, 주목 획득 및 메시지의 영향력을 강화할 수 있다.

■ 핵심 요소

이해력 향상(Enhanced Understanding): 차트, 그래프, 인포그래픽 등과 같은 시각적 자료는 복잡한 정보를 간단하게 표현할 수 있다. 이를 통해 대상은 텍스트만 사용할 때보다 더 빠르고 쉽게 개념과 데이터를 이해할 수 있다. 이는 특히 기술적이거나 복잡한 주제를 다룰 때 효과적인 메시지 전달을 돕는다.

---

[20] "The Science of Visual Attention", A. F. Marois and J. M. Ivanoff (2005)

[21] "The Role of Visuals in Online Marketing" ,R. T. Rust et al. (2000)

[22] "The Art and Science of Visualization: A Guide for Data Practitioners", A. O. Cairo (2016)

참여도 증대(Increased Engagement): 사람들은 자연스럽게 시각적 자료에 끌린다. 프레젠테이션이나 판매 자료에 이미지, 비디오 및 기타 시각적 요소를 포함하면 대상 대상의 주의를 끌 수 있으며 그들의 관심을 유지할 수 있다. 참여된 대상은 메시지에 더욱 수용적일 가능성이 높다.

감정적 공감대(Emotional Connection): 시각적 자료는 감정을 불러일으킬 수 있다. 대상 대상의 감정과 가치관과 공감하는 이미지나 비디오를 포함하면 더 깊은 연결을 수립할 수 있다. 감정적인 참여는 종종 더 강력한 설득 효과로 이어진다.

기억력(Memorability): 사람들은 텍스트보다 시각적 콘텐츠를 더 잘 기억한다. 잘 디자인된 시각적 자료는 오랜 기간 동안 기억에 남아 메시지를 더 기억하기 쉽게 만든다. 이는 대상 대상이 제품이나 솔루션을 기억하도록 원할 때 특히 가치 있다.

명확성과 간결성(Clarity and Simplicity): 시각적 자료는 복잡한 아이디어를 단순화하고 접근성을 높일 수 있다. 주요 포인트를 간결하게 전달하는 데 도움을 준다. 영업에서는 대상 고객이 제품 또는 솔루션의 이점과 기능을 이해하는 데 명확성이 필수이다.

보편적 언어(Universal Language): 시각적 자료는 언어 장벽을 넘어갈 수 있다. 다양한 대상에 의해 이해될 수 있는 보편적인 커뮤니케이션 형태이다. 특히 글로벌 영업 노력에서 이점이 크다.

데이터 시각화(Data Visualization): 데이터를 제시할 때 시각적 자료는 통계 및 수치를 더 매력적이고 해석하기 쉽게 만들어준다. 이는 원시 데이터를 실행 가능한 통찰력으로 변환하여 의사 결정 과정을 안내하는 데 도움을 준다.

스토리텔링(Storytelling): 시각적 자료를 서술 방식에 통합할 수 있다. 이미지나 그래픽을 서술과 결합하여 더 매력적이고 설득력 있는 이야기를 만들 수 있다. 이는 대상 대상과 공감하는 더욱 강력한 이야기를 만들어낼 수 있다.

신뢰성과 전문성(Credibility and Professionalism): 영업 자료나 프레젠테이션에서 고품질의 시각적 자료는 신뢰성과 전문성을 높일 수 있다. 철저함과 세부 사항에 대한 주의를 전달한다.

행동 요구사항(Call to Action): 시각적 자료는 전략적으로 사용하여 행동 요구사항을 강조하는 데 사용할 수 있다. 잘 디자인된 시각적 요소(버튼 또는 아이콘과 같은)는 대상 대상에게 원하는 단계(구매 또는 서비스 신청과 같은)를 취하도록 유도할 수 있다.

시사점 :시각적 자료는 영업 및 설득에서의 효과적인 의사소통 전략의 필수 구성 요소 중 하나이다. 이해, 참여 및 감정적 연결을 용이하게 하므로 이 두 맥락에서 효과적인 커뮤니케이션 전략의 필수 구성 요소이다.

"사진 한 장은 천 개의 말을 대신한다."
프레드릭 R. 바나드(Frederick R. Barnard)

■ 시각화(Visuals)에 대한 대표적인 사례들

시각 자료의 사용의 대표적인 사례들이다.

스티브 잡스의 아이폰 기조연설 (2007): 스티브 잡스는 아이폰 기조연설에서 매력적인 시각 자료를 활용하여 최초의 아이폰을 공개했다. 이 이벤트는 큰 주목을 받았으며, 아이폰 발표 후 애플의 주가는 거의 8% 상승했다.

두브의 "진짜 아름다움" 캠페인("Real Beauty"): 전통적인 모델 대신 실제 여성들을 사용한 두브의 캠페인은 아름다움 고정관념에 도전하는 시각 자료를 활용했다. 이 캠페인으로 10년 내에 판매가 700% 증가했다.

오바마의 "희망" 포스터 (2008): 셰퍼드 페어리의 바라크 오바마가 "희망"이라는 단어와 함께 나온 포스터는 오바마 대통령 선거 캠페인 중 상징적인 시각 자료가 되었다. 이 포스터는 소셜 미디어에서 널리 공유되어 인식도와 유권자 참여를 높였다.

NASA의 화성 로버 착륙 라이브 방송 (2012)(NASA's Mars Rover Landing Live Stream): NASA의 큐리오시티 로버(the Curiosity rover)의 화성 착륙 라이브 방송은 수백만 시청자들을 매료시켰다. 시각적인 방송은 320만 건 이상의 동시 시청을 유발하여 시각 자료가 과학적 성과에 대한 대중의 참여를 촉진하는 데 얼마나 효과적인지를 보여주었다.

이케아 카탈로그: 이케아의 세심하게 디자인된 카탈로그는 시각 자료와 실용성을 내포한다. 매년 2억 개 이상의 카탈로그가 배포되어 이케아의 판매 및 브랜드 인식에 큰 영향을 미치고 있다.

시각 자료의 사용이 부정적인 영향으로 작용된 사례도 있다.

담배 산업과 조작적 광고: 담배 산업은 건강 위험을 언급하지 않는 오도적인 광고에서 시각 자료를 사용해왔다. 이러한 전략은 20세기에 흡연 관련 질환으로 인한 추정 1억 명의 사망에 기여했다.

가짜 다이어트 알약 광고: 여러 회사가 조작되거나 오도적인 전후 사진을 사용하여 체중 감량 알약을 홍보한 바 있다. 이와 같은 기만적 광고는 소비자의 금전적 손실을 야기하며, 일부 개인은 수백 달러를 효과 없는 제품에 낭비했다.

가짜 성형 수술 홍보: 무면허나 미자격의 성형외과 의사를 홍보하는 광고에서의 시각 자료가 소비자를 속였다. 이와 같은 홍보로 인해 많은 사례에서 실패한 수술 및 부작용이 발생했다.

오도적 금융 투자 광고: 사기적인 투자 계획을 홍보하는 광고에서 시각 자료가 사용되어 개인이 저축을 잃을 수 있다. 버니 매독의 포니즈 사기 계획은 약 650억 달러의 손실을 야기한 바 있다.

제품 광고에서의 거짓 증언: 일부 광고는 제품에서 과장된 혜택을 주장하는 개인들의 가짜 증언과 함께 시각 자료를 사용한다. 이러한 시각 자료는 소비자 신뢰를 무너뜨리며, 오도적 행위로 기업에 대한 법적 조치를 일으킬 수 있다.

"눈은 손보다 빨리 움직인다."
도널드 M. 랫너(Donald M. Rattner)

■ 시각화(Visuals)에 활용한 대면 영업 사례들

✧ 데이터 분석 솔루션 영업

소프트웨어 회사의 영업 대표인 A는 대규모 소매업체인 잠재 고객에게 복잡한 데이터 분석 솔루션을 판매하는 업무를 맡았다. 이 소프트웨어에는 다양한 기능과 혜택이 있었지만 구두로 설명하는 것은 어려움을 겪었다.

시각적으로 프레젠테이션을 단순화하고 더 매력적으로 만들기 위해 시각화를 사용하기로 결정했다. 영업 미팅 중에 클라이언트의 현재 데이터 관리 프로세스와 소프트웨어를 사용하는 경우 간소화된 프로세스를 보여주는 시각적인 로드맵을 작성했다. 흐름도와 다이어그램을 사용하여 이전과 이후의 시나리오를 설명했다.

또한 소프트웨어가 소매업체의 판매 성능, 재고 관리 및 고객 행동에 대한 실시간 통찰력을 제공할 수 있는 방법을 보여주기 위해 대화형 데이터 시각화를 사용했다.

명확성과 이해도(Clarity and Understanding): 시각화를 사용하면 클라이언트가 소프트웨어의 가치를 더 잘 이해할 수 있었다. 복잡한 개념이 다이어그램과 차트를 통해 더 쉽게 전달되었다.

참여도(Engagement): 시각적 자료는 클라이언트의 관심을 끌고 회의 동안 그들을 참여시켰다. 대화형 요소를 사용하여 클라이언트가 자체적으로 데이터를 탐색할 수 있었으므로 회의가 더 상호 작용적이었다.

데이터 시각화(Data Visualization): 데이터 시각화 도구를 사용하면 소프트웨어의 능력을 효과적으로 전달할 수 있었다. 데이터를 시각화하면 클라이언트가 잠재적인 이점을 더 쉽게 이해할 수 있었다.

강력한 프레젠테이션(Impactful Presentation): 시각적 자료를 사용하여 기억에 남고 강력한 프레젠테이션을 만들었으며 이는 클라이언트에게 소프트웨어가 그들의 영업을 어떻게 개선시킬 수 있는지 상상할 수 있게 했다.

판매 증가(Increased Sales): 최종적으로 시각화를 사용한 영업 프레젠테이션이 성공적인 거래로 이어졌다. 클라이언트는 명확한 커뮤니케이션을 감사하게 여겼으며 소프트웨어가 그들의 비즈니스에 어떤 이점을 제공할 수 있는지 상상할 수 있었다.

시사점 : 대면 영업에서 시각적 도구의 전략적 활용이 복잡한 아이디어를 단순화하고 관객을 끌며 성공적인 결과를 이끌어내는 방법을 보여준다. 적절한 시각적 도구를 선택하고 클라이언트의 요구에 맞게 프레젠테이션을 조정하는 중요성을 강조한다.

✧ **고급 주방 가전 영업**

A는 고급 주방 가전 회사의 영업 매니저로서 주방 장비를 업그레이드하려는 명성 높은 레스토랑과 거래를 마무리하는 임무를 맡았다. 레스토랑 소유주는 세심한 주의와 높은 요리 기준으로 알려져 있었다.

회의 중에 회사의 최첨단 주방 가전제품을 보여주는 매력적인 브로셔와 새로운 장비가 통합된 레스토랑 주방 배치를 보여주는 몰입형 3D 시각화가 담긴 태블릿을 가져왔다.

사라가 브로셔를 제시하고 태블릿을 사용하여 앤더슨 씨에게 가상 주방을 안내할 때, 시각적 자료에 매료되었다. 새로운 가전제품이 주방의 효율성을 향상시키고 고객들에게 더 훌륭한 다이닝 경험을 제공할 것을 명확하게 볼 수 있었다.

시각적 효과 외에도 프로페셔널 셰프를 함께 데려와 레스토랑 주방에서 회사의 가전제품을 사용하여 음식을 조리하도록 했다. 새로운 장비로 준비된 음식의 품질 차이를 직접 맛볼 수 있었다.

시각적 영향(Visual Impact): 매력적인 브로셔와 몰입형 3D 시각화의 조합은 고객에게 큰 영향을 미쳤다. 주방의 개선 사항을 명확하게 상상할 수 있었다.

구체적인 경험(Tangible Experience): 프로페셔널 셰프를 데려오는 것으로 고객은 제품의 혜택을 직접 경험할 수 있었다. 이 구체적 접근법은 제품의 품질에 대한 확실한 증거를 제공했다.

참여도(Engagement): 시각적 자료와 실시간 데모는 시각적 및 감각적으로 참여시켜 매우 기억에 남는 영업 프레젠테이션으로 만들었다.

솔루션 맞춤화(Solution Customization): 시각적 도구의 사용으로 사라는 고객의 특정 요구사항과 우려를 시각적으로 대응할 수 있었다.

성공적인 계약 체결(Successful Closing): 효과적인 시각화 사용과 기억에 남는 경험 덕분에 사라는 명성 높은 레스토랑과의 거래를 성공적으로 마무리했다.

시사점 : 대면 영업에서 시각적 자료의 힘을 강조하며, 높은 위험 고객을 다룰 때 특히 중요한 역할을 하는 것을 보여준다. 이야기는 프레젠테이션을 고객의 선호에 맞게 맞추는 중요성과 몰입형 시각화를 사용하여 지속적인 영향을 창출하는 중요성을 강조한다.

"단순함이 최고의 정교함이다."
레오나르도 다 빈치(Leonardo da Vinci)

■   시각화(Visuals)을 부정적으로 이용한 대면 영업 사례들

✧   소프트웨어 영업 프레젠테이션

A는 소프트웨어 회사의 영업 대표로, 중소 규모의 제조 회사와 큰 프레젠테이션을 예정하고 있었다. 소프트웨어의 고급 그래픽 기능을 강조하는 것이 거래를 여는 열쇠라고 믿었다. 소프트웨어의 기능을 시연하기 위해 복잡한 3D 그래픽과 애니메이션을 갖춘 시각적으로 인상적인 프레젠테이션을 준비하는 데 몇 시간을 보냈다.

프레젠테이션에 사용된 시각 자료는 고객을 압도하기에 충분했다. 하지만, 복잡한 그래픽과 애니메이션은 명확성보다 혼란을 초래했다. 고객은 소프트웨어의 기능을 이해하기 어려워했고 회의도 흐지부지 끝났다.

고객은 최종적으로 복잡한 시각적 기능이 부족하더라도 더 단순하고 명확한 사용자 인터페이스를 제공하는 경쟁사 소프트웨어를 선택했다.

대상 고객 파악(Know Your Audience): 시각 자료를 고객의 이해 수준과 요구에 맞추지 않은 것이었다. 주제에 대한 고객의 친숙도를 고려하는 것이 중요하다.

단순함이 중요(Simplicity is Key): 지나치게 복잡한 시각 자료는 역효과를 낼 수 있다. 명확하고 간단한 시각 자료가 메시지를 효과적으로 전달하는 경우가 많다.

효과적인 커뮤니케이션(Effective Communication): 시각 자료는 커뮤니케이션을 개선해야 한다. 명확성 대신 혼란을 초래했다.

창의성과 기능의 균형(Balance Creativity and Functionality): 시각 자료는 매혹적일 수 있지만 기능적 목적도 충족해야 하고 고객의 목표와도 일치해야 한다.

피드백이 중요(Feedback Matter): 프레젠테이션 이후에 고객으로부터 피드백을 수집하여 어떤 부분에서 실수를 했는지 이해하고 향후 프레젠테이션을 개선하는 데 도움을 받아야 했다.

시사점 : 대면 영업에서 시각 자료를 효과적으로 사용하는 중요성을 강조하며, 시각 자료가 고객의 요구와 기대와 일치하지 않거나 지나치게 복잡한 경우에 발생할 수 있는 부정적인 결과를 보여줍니다.

✧ 부동산 중개 상담

A는 부동산 중개인으로, 매물로 내놓은 호화 주택을 잠재 구매자에게 인상 깊게 보여주고 싶었다. 부동산 투어 중에 부동산의 잠재력을 보여주기 위해 정교한 가상 현실(VR) 시각화를 사용하기로 결정했다. VR 헤드셋을 제공하고 부동산을 가상 투어로 안내하며 확장 현실 가구와 장식을 사용한 시각적 투어를 제공했다.

VR 프레젠테이션은 리사에게 큰 인상을 주었다. 하지만, 부동산의 실제 특징과 가상 개선 사항을 구분하기 어려웠다. 몰입형 경험이 오히려 방황하게 만들었고 부동산의 실제 가치에 대한 확신을 가지지 못하게 했다.

부동산을 구매하지 않기로 결정했다. 근사한 시각적 경험이 있었지만, 정확한 판단을 하기 어려웠다. 결국, 다른 중개인과 함께 더 간단하고 전통적인 부동산 투어를 선택했다.

고객의 편안함을 파악(Know Your Client's Comfort Level): 기술 및 VR에 대한 편안함을 평가하지 못했다. 이러한 시각화를 사용하기 전에 고객의 기술에 대한 익숙함을 평가하는 것이 중요하다.

간결함이 중요(Simplicity Matters): 복잡한 시각화는 혼란을 초래할 수 있다. 이 경우 더 간단한 전통적인 부동산 투어를 먼저 수행하는 것이 더 효과적일 수 있다.

기술과 실제 경험의 균형 유지(Balance Technology and Real Experience): 기술적으로 프레젠테이션을 향상시킬 수 있지만 실제 경험을 완전히 대체하는 것이 아니라 보완해야 한다.

고객의 편안함 우선(Client's Comfort Comes First): 판매 프레젠테이션은 기술로 인상을 남기려는 욕망보다는 고객의 편안함과 이해를 우선시해야 한다.

피드백 수집(Gather Feedback): VR 투어 실패 후, 고객으로부터 피드백을 수집하여 어떤 점에서 실패하고 앞으로의 프레젠테이션을 개선하는 방법을 이해해야 했다.

시사점 : 대면 영업에서 시각화를 신중하게 사용하고 고객의 편안함과 선호도를 고려하여 부정적인 결과를 피하기 위한 중요성을 강조한다.

" 읽은 것의 20%만 기억하는 반면, 보고 행동한 것의 80%를 기억한다."

에드거 데일(Edgar Dale)

■ 시각화(Visuals)을 활용한 성경 속 사례

민수기 21장에는 시각화(Visuals)를 사용한 성경 이야기가 있다. 이스라엘 사람들이 사막에서 불평하며 여정하는 중에 벌어진 일이다. 그 결과 하나님은 독사들을 그들 중에 보내어 많은 사람들이 물렸고 죽었다.

이에 하나님의 지시로 모세는 놋뱀을 만들고 기둥 위에 올렸다. 모세는 독사에 물리면 놋뱀을 보라고 사람들에게 이야기했다. 사람들이 놋뱀을 바라보면 치유되고 생명이 구원되었다.

시각화와 관련된 이 이야기의 중요성은 놋뱀을 치료와 구원의 시각적 상징으로 사용한 데에 있다. 이스라엘 사람들은 치명적인 독사 물림에서 구원을 기대하는 것의 시각적이고 명확한 상징물을 가졌다. 이것은 희망과 치유의 메시지를 전달하는 강력하고 간단한 시각적 도구였다.

의사소통의 명확성(Clarity in Communication): 시각화는 복잡하거나 중요한 정보를 전달할 때 투명성을 향상시킬 수 있다. 이 이야기에서 놋뱀 동상은 희망과 치유의 명확하고 이해하기 쉬운 시각적 표현으로 모든 이에게 접근 가능하게 만들어 주었다.

상징성과 대표성(Symbolism and Representation): 시각화는 추상적인 개념이나 아이디어를 효과적으로 상징화할 수 있다. 이 경우, 믿음, 치유 및 구원을 효과적으로 상징화하여 사람들이 이러한 개념을 더 쉽게 이해할 수 있도록 했다.

접근성(Accessibility): 시각화는 복잡하거나 추상적인 아이디어를 이해하기 어려운 사람들을 포함한 더 넓은 대중에게 정보를 더 쉽게 이해할 수 있게 만들 수 있다. 모든 이의 소망과 치유의 보편적인 상징이었으며, 알파벳 실력이나 교육과는 관계없이 모두에게 접근 가능했다.

즉각적인 영향(Immediate Impact): 시각화는 감정과 결정에 즉각적인 영향을 미칠 수 있다. 놋뱀을 보면 뱀에 물린 사람들에게 즉각적인 회복과 구원을 제공했으며, 즉각적으로 감정적인 반응을 불러일으키는 시각화의 힘을 보여 주었다.

단순함과 효과성(Simplicity and Effectiveness): 때로는 복잡한 것보다 간단한 시각화가 더 효과적일 수 있다. 명료한 표현이었으며 그 메시지는 명확했다. 시각적 커뮤니케이션에서 간단함과 효과성의 중요성을 강조한다.

시사점 : 시각화가 이야기와 의사소통에서 강력한 수단일 수 있다는 것이다. 이 경우 놋뱀은 믿음과 치유의 시각적 표상으로 기능하여 치명적인 문제에 대한 명확하고 즉각적인 해결책을 제공했다. 이것은 시각화가 복잡한 아이디어와 감정을 효과적으로 전달할 수 있는 가치 있는 도구임을 보여주며, 이야기와 의사소통에서 중요한 역할을 할 수 있음을 보여준다.

"눈은 몸의 등불이니"
마 6:22

■ **시각화(Visuals)을 활용하기 위한 10가지 방법**

대상 이해(Know Your Audience)

대상의 선호도, 지식, 요구사항을 파악한다. 대상에 맞게 시각 자료를 맞추면 관련성이 높아진다.

예시: 기술에 익숙한 대상에게는 상세한 인포그래픽을 사용하고, 그렇지 않은 고객에게는 시각 자료를 단순화한다.

시각 자료와 스토리텔링 (Storytelling with Visuals)

스토리와 시각 자료를 결합하여 메시지를 기억에 남게 만든다.시각 자료와 스토리가 결합되면 감정을 자극하고 기억에 남기기 쉬워진다.

예시: 제품의 이점을 보여주기 위해 고객의 성공 사례를 시각적으로 표현한다.

단순함과 명확성 (Simplicity & Clarity)

시각 자료를 명확하고 간결하며 이해하기 쉽게 유지한다. 복잡함은 혼란을 초래할 수 있으며, 단순함은 이해를 촉진한다.

예시: 밀접한 텍스트가 아닌 간결한 플로우차트를 사용하여 프로세스를 설명한다.

데이터 시각화 (Data Visualization)

차트, 그래프 및 인포그래픽을 사용하여 데이터를 시각적으로 표현한다. 데이터 시각화는 이해와 데이터 기반 의사 결정을 돕는다.

예시: 시간에 따른 매출 성장을 보여주기 위해 막대 차트를 사용한다.

시각적 일관성 (Visual Consistency)

시각 자료의 디자인과 스타일을 일관성 있게 유지한다. 일관성은 전문성과 브랜드 인식을 향상시킨다.

예시: 모든 영업 프레젠테이션에서 동일한 색상 구성과 글꼴을 사용한다.

이점 강조(Highlight Benefits)

제품 또는 서비스가 고객에게 어떤 이점을 제공하는지 강조한다. 이점을 시각적으로 보여주면 고객이 가치를 파악할 수 있다.

예시: 경쟁사의 이전 버전 소프트웨어 인터페이스와 사용자 친화적인 디자인을 비교하여 제품의 가치를 시각적으로 표현한다.

상호작용형 시각 자료(Interactive Visuals)

클릭 가능한 프로토타입이나 비디오와 같은 상호작용 요소를 활용한다. 상호작용은 고객을 참여시키고 실제 경험을 제공한다.

예시: 프레젠테이션 중에 고객이 소프트웨어 데모와 상호작용할 수 있도록 한다.

시각적 인증서(Visual Testimonials)

사진이나 비디오와 함께 고객 사례를 제시한다. 시각적 인증은 신뢰와 진정성을 구축한다.

예시: 만족한 고객들의 비디오 사례를 프레젠테이션에 포함한다.

시각적 스토리보드(Visual Storyboarding)

시각적 스토리보드로 프레젠테이션을 계획한다. 스토리보드는 내용과 흐름을 조직하여 설득력 있는 내러티브를 만든다.

예시: 제품 론칭 프레젠테이션을 계획하기 위해 시각적 스토리보드를 작성한다.

적응성과 대응력(Adaptability and Responsiveness)

실시간 고객 피드백을 기반으로 시각 자료를 수정한다. 유연성은 고객 중심 의사 소통을 보여준다.

예시: 클라이언트의 질문이나 선호도에 따라 프레젠테이션 중 시각 자료를 조정한다.

☞ **시각화(Visualization) 멘트**

"이 최첨단 노트북이 초고속 속도와 원활한 멀티태스킹 기능으로 생산성을 어떻게 향상시킬지 상상해 보세요."
고객이 일상 생활에서 제품의 실질적인 이점을 상상할 수 있도록 도와준다.

"이 차를 운전하는 자신의 모습을 상상해 보세요. 부드러운 핸들링, 편안한 시트, 도로를 순항할 때 고개를 돌리는 모습 등을 느껴보세요."
고객이 제품을 즐기는 자신의 모습을 상상해 보도록 유도한다.

"집에 들어와서 벽에 걸린 이 아름다운 예술 작품을 보고 공간을 우아함의 갤러리로 바꾸는 것을 상상해 보세요."
제품이 고객의 개인 환경을 어떻게 개선할지 생생한 이미지를 만든다.

"이 소프트웨어를 사용하여 몇 시간이 걸리던 작업을 단 몇 분 만에 손쉽게 완료하는 팀의 모습을 상상해 보세요."
제품이 업무 효율성을 크게 향상시키는 시나리오를 그려본다.

"이 가정용 보안 시스템이 24시간 내내 가족을 안전하게 지켜주고 있다는 사실을 알게 될 때 느끼는 안정감을 상상해 보세요."
제품이 제공하는 정서적 편안함과 마음의 안정에 중점을 둔다.

"집의 중심이 되도록 설계된 넓고 현대적인 주방에서 친구와 가족을 초대하는 모습을 상상해 보세요."
사교 활동과 따뜻한 가정 환경에 대한 고객의 열망에 호소한다.

"이 사무용 의자의 인체공학적 디자인 덕분에 허리 통증이 없는 하루를 상상해 보세요."
제품의 건강상의 이점과 편안함을 강조한다.

"회의 중에 고객이 새로운 하이테크 사무실을 칭찬할 때 느끼는 자부심을 상상해 보세요."
제품과 연관된 성공과 전문성의 이미지를 투영한다.

"긴 하루를 보낸 후 이 고급스러운 스파 욕조에서 휴식을 취하며 개인 오아시스에서 스트레스를 녹이는 모습을 상상해 보세요."
개인적인 만족과 휴식의 느낌을 불러일으킨다.

"이 첨단 피트니스 장비가 홈트레이닝을 어떻게 변화시켜 헬스장의 경험을 거실로 가져올지 상상해 보세요."
고객이 제품으로 인해 개선된 라이프스타일을 상상할 수 있도록 돕는다.

■   요약

시각화는 그래픽 표현, 이미지, 시각적 보조 도구로 의사 소통을 강화하는데 사용된다.
차트, 인포그래픽, 비디오 등이 포함되며 다중 감각 경험을 제공하고 더 기억에 오래 남게 한다.
시각적 단서와 이미지가 주의를 집중시키고 정서적 감정을 일으키며 인지 과정을 작동하여 효과적으로 전달하기게 유용한 도구이다.

■   핵심키워드

시각화, 인포그래픽, 이미지, 인포그래픽, 기억력, 보편적 언어, 다중 감각, 정서적 감정, 숨은 인지 과정

■   적용 질문

시각화는 설득과 영업측면에서 어떤 특징들이 있는가?
시각화로 설득과 영업에서 거둘 수 있는 기대효과는 무엇인가?
시각화를 효과적으로 활용하기 위한 10가지 방법은 무엇이고, 나에게 강화해야 할 요소는 무엇인가?

제 5 장

밴드웨건 효과(Bandwagon effect)
'사회적 증거'

———————◄◇►———————

"거대한 대세에는 거부하기 힘든 설득의 힘이 있다."
닥터 브라이언(Dr. Brian)

밴드웨건 효과(Bandwagon effect)

■ 개념

Bandwagon 설득 기법은 개인이 군중을 따르고 대중적이거나 널리 받아들여지는 것처럼 보이는 행동이나 신념을 채택하려는 경향이 있는 사회적 순응의 원칙을 활용한다.

사회적 증거 [23]혹은 군중의 지혜 [24]현상의 맥락으로 개별 전문가 보다는 집단적으로 더 나은 결정을 내릴 수 있다고 보고 다수를 따르는 개념에 근거한다. 핵심 아이디어는 "모두가 다 하고 있다"는 인상을 주어 사람들을 설득하는 것이다. 이는 소외감을 느끼지 않으려면 그룹에 합류해야 함을 의미한다. 이 기술은 소속감과 고립을 피하려는 인간의 욕구를 활용하여 결정에 영향을 미치는 강력한 도구가 된다. 어떤 주장이나 제품, 서비스 등이 다수에게 받아들여진다는 것을 이용하는 기법이다. 즉, 다수의 인원들이 받아들인다면 그것이 옳다는 것으로 전제하는 것이다. 이는 일반적으로 대중적인 트렌드나 유행, 소셜 미디어의 영향력 등을 이용하여 다수의 사람들이 동조하게 만드는 것이 특징이다.

밴드웨건 기법의 근거는 사회적 수용에 대한 심리적 필요성에 있다. 사람들은 종종 다른 사람들로부터 검증과 확신을 구하며, 어떤 것이 많은 사람들에게 인기가 있거나 지지를 받는다는 생각이 그들의 선택을 좌우할 수 있다. 성공하거나 유행하는 것으로 간주되는 것을 놓치는 것에 대한 두려움은 개인을 다수를 따르게 만들 수 있다.

---

[23] "Made to Stick: Why Some Ideas Survive and Others Die" by Chip Heath and Dan Heath (2007)

[24] "The Wisdom of Crowds" by James Surowiecki (2004)

이 기법은 설득과 영업의 측면과 정치, 광고, 마케팅, 선거 등 다양한 분야에서 이용된다. 예를 들어, "이 제품을 많은 사람들이 사용하고 있으니까 당신도 사용해보세요" 라는 광고나 "다수의 사람들이 지지하는 후보이니까 당신도 지지해야죠" 라는 정치광고 등이 이에 해당된다[2]. 온라인의 경우 온라인 리뷰[25]가 많을 수록 고객의 구매결정에 긍정적으로 영향을 준다.

그러나, 이 기법은 대중들의 판단력을 약화시키고 비판적 사고를 방해하는 부정적인 영향을 끼칠 수 있다. 사회적 인정을 과도하게 추구하게 되면, 이탈반응[26] 등 부정적인 결과를 초래하기도 한다. 사회적 인정을 위한 무리한 집단 행동은 브랜드의 거품과 붕괴[27]로 이어질 수도 있고, 맹목적[28]으로 시류를 따르게 될 때 합리적 행동, 의사결정, 사회적 역학구조에 부정적 영향을 주기도 한다.

첫 번째 사례로는 2008년 미국 대선에서 오바마 대통령 후보가 Bandwagon 효과를 이용한 것으로 알려져 있다. 그는 "Change we can believe in(믿을 수 있는 변화)"이라는 구호를 내세우며, 미국 국민들이 변화를 바라는 욕구를 이용하여 대중들에게 동조감을 일으켰다. 두 번째 사례로는 애플사의 아이폰 출시를 예로 들 수 있다. 아이폰 출시 당시 스마트폰 시장에서는 블랙베리와 윈도우 모바일 등이 주류를 이루고 있었다. 하지만 아이폰 출시 후 대중들의 수요가 급증하면

---

[25] "The Power of Social Influence: Persuasion and Conformity in Online Consumer Reviews" Zhu, F., & Zhang, X.

[26] "When Social Networking Turns to Social Overload: Explaining the Stress, Emotional Exhaustion, and Quitting Behavior from Social Network Sites' Users" Wu, I. C., & Chen, J. C. V.

[27] "Herd Behavior and Cascading in Capital Markets: A Review and Synthesis" Bikhchandani, S., Hirshleifer, D., & Welch, I.

[28] "Information Cascades and Rational Herding: Evidence from Analyst Recommendations" Chang, E. C., Cheng, J. W., & Khorana, A.

서 다른 스마트폰 제조사들도 비슷한 제품을 출시하게 되었다. 이처럼 대중들이 아이폰을 추종하게 되면서 Bandwagon 효과가 나타난 것이다.

세 번째 사례로는 K-pop의 글로벌 인기를 들 수 있다. K-pop은 대중들의 관심과 사랑을 받으면서 세계 각국에서 인기를 끌고 있다. 이는 K-pop을 좋아하는 대중들이 다른 사람들에게 추천하면서 Bandwagon 효과가 나타나기 때문이다. 또한, K-pop 스타들의 소셜 미디어를 통한 팬들과의 소통과 콘텐츠 제공, 해외 팬미팅 등을 통해 팬들의 동조감을 유지하고 있는 것도 K-pop의 성공적인 Bandwagon 적용 사례이다.

부정적으로 적용된 사례에는 다음과 같은 것이 있다.

첫째, 대중의 관심을 끌기 위해 인기 있는 유행에 따르는 기업들 중 하나인 UGG는 아동 노동과 동물 학대로 논란이 되었다. 그러나 대중의 많은 부분이 UGG를 구매하고 있었기 때문에 UGG의 반대 의견은 대중에게 들리지 않았다. 이로 인해 UGG는 반대 의견을 무시하고 계속해서 노동과 동물 학대가 일어날 수 있는 환경에서 생산을 계속해왔다.

둘째, 투표를 할 때 밴드 왜건 기법은 사람들이 다수의 의견에 따라 투표하게 만들어 중요한 문제에서 부정적인 영향을 미친다. 이러한 상황에서 대중들은 다수의 의견을 따르지 않으면 다수의 의견이 반대로 작용하여 대중들은 자신의 의견을 바꾸게 된다.

셋째, 모바일 게임 중 하나인 '쿠키런'은 아동 유해 게임으로 논란이 되었다. 그러나 대중의 많은 부분은 게임을 즐기고 있었기 때문에 이러한 반대 의견은 대중에게 들리지 않았다. 이로 인해 이 게임의 아동 유해성은 계속해서 존재했다.

"사람들은 자신이 모르는 것을
다수가 알고 있다고 생각하기 때문에 다수를 따른다."
다니엘 카네먼(Daniel Kahneman)

■   핵심 요소

사회적 증거: 밴드웨건 효과는 사회적 입증의 원리에 의존한다. 이 원리는 사람들이 종종 자신의 행동의 단서로서 다른 사람들의 행동을 참조한다는 것을 제안한다. 다른 사람들이 특정한 행동을 지지하거나 수행한다는 것을 보면, 자신도 그에 동참하려는 경향이 있다.

수용(Conformity): 이 기술은 사람들이 사회적 규범을 준수하려는 인간의 성향에 기반한다. 개인들은 다른 이들과 동조하고 싶어하며, 다른 사람들과 다르게 보이지 않으려는 경향이 있다.

인기 활용(Perceived Popularity): 밴드웨건 효과는 종종 특정한 제품, 아이디어 또는 행동의 인기나 널리 받아들여짐을 강조한다. 메시지는 "이미 수천 명이 참여한..." 또는 "소비자들의 1위 선택"과 같은 구문을 사용할 수 있다.

선택 증가(Increased Adoption): 밴드웨건 효과는 제품, 서비스 또는 아이디어의 채택 증가로 이어질 수 있으며, 사람들이 인기 있는 것의 일부가 되고 싶어하기 때문이다. 이것은 특히 마케팅 및 판매 캠페인에서 효과적일 수 있다.

무리 행동(Herd Behavior): 이것은 때로 사람들이 다른 이들의 행동에 따르는 무리 행동을 초래할 수 있으며, 이는 그들의 개인적인 선호나 가치와 일치하지 않을 수 있다.

비판적 사고 제한(Limited Critical Thinking): 밴드웨건 효과에 영향을 받는 경우, 사람들은 결정의 메리트나 단점을 비판적으로 평가하지 않을 수 있으며, 이로 인해 정보 부족한 선택으로 이어질 수 있다.

바이럴 마케팅(Viral Marketing): 마케터들은 종종 밴드웨건 효과를 활용하여 제품이나 콘텐츠 주변에 긴급함과 인기감을 만들어낸다. 이로써 사람들은 공유하고 참여하도록 유도된다.

주의해서 사용(Cautious Use): 밴드웨건 효과는 효과적인 설득 도구일 수 있지만, 윤리적 고려는 필수적이다. 메시지의 진정성과 프로모션된 내용이 대상 군의 필요와 선호도와 일치하는지를 확인하기 위해 주의해서 사용해야 한다. 정확한 정보를 제공하고 신뢰를 유지하는 데 중요하다.

시사점 : 밴드웨건 효과는 사람들이 다수의 행동을 따르고 어떤 제품이나 아이디어가 인기 있는지 인지하는 경향을 이용하는 설득 기술이다. 이것은 채택 증가 및 행동에 영향을 미칠 수 있지만, 그 사용은 윤리적 고려 사항과 프로모션된 메시지의 진정성을 고려하여야 한다.

"다른 사람들이 믿을 때, 믿기가 더 쉬워진다.
이것이 Bandwagon 효과의 힘이다."
미상(Unknown)

✦ 효과적 사례

Apple의 iPhone 출시

상황: Apple이 새로운 iPhone 모델을 출시할 때마다 매장 밖에는 열렬한 고객의 긴 줄이 형성된다.

적용: Apple은 독점성과 바람직성에 대한 인식을 창출함으로써 밴드웨건 효과를 활용한다. 사람들은 최신 모델을 소유하려는 추세에 동참한다.

예: iPhone X 출시 기간 동안 Apple은 기대감과 사회적 화제에 힘입어 처음 24시간 이내에 300만 건이 넘는 사전 주문을 보고했다.

소셜 미디어 인플루언서 마케팅

상황: 인플루언서는 제품과 서비스를 선보이고 팔로워가 이를 사용해 보도록 권장한다.

적용: 브랜드는 인기 인물과 제품을 연관시킴으로써 영향력 있는 사람의 선택을 모방하려는 추종자의 욕구를 활용한다.

예시: 메이크업 인플루언서의 화장품 브랜드 홍보 영상 조회수가 50만 회에 달해 해당 제품의 매출이 30% 증가했다.

온라인 리뷰 및 평점

상황: 웹사이트는 제품이 받은 긍정적인 리뷰의 수를 표시한다.

활용도: 소비자들은 인지된 인기로 인해 평점이 높은 제품을 신뢰하는 경향이 있다.

예: 리뷰 플랫폼에서 별 4.8개를 받은 레스토랑은 평점이 낮은 유사한 레스토랑에 비해 예약이 20% 더 많았다.

기간 한정 혜택

상황: 브랜드는 기간 한정 할인이나 프로모션을 제공한다.
적용: 긴박감은 거래를 놓치지 않기 위해 고객이 구매하도록 유도한다.
예: 전자상거래 사이트에서 24시간 동안 반짝 세일을 진행하여 웹사이트 트래픽이 50% 증가하고 매출이 25% 증가했다.

정치 캠페인

상황: 정치 후보자들은 점점 늘어나는 지지 기반을 강조한다.
적용: 폭넓은 지지자 기반을 입증하면 결정을 내리지 못한 유권자들이 승리하는 쪽에 합류하도록 유도할 수 있다.
예: 한 후보자의 집회에 10,000명의 참석자가 모여 더 많은 사람들이 후속 행사에 참석하도록 영향을 미치는 언론 보도를 얻게 되었다.

"사회적 증거는 침묵하는 영업사원이다.
말로 설득하지 못할 때 설득력을 발휘한다.."
다름쉬 샤(Dharmesh Shah)

■ 밴드웨건 효과(Bandwagon effect)를 활용한 긍정적 사례

✧ 새로운 피트니스 프로그램을 위한 영업 프레젠테이션

피트니스 트레이너가 새로운 피트니스 프로그램을 위한 대면 영업 프레젠테이션을 진행하고 있다. 다음은 그들이 Bandwagon 효과를 어떻게 효과적으로 활용하는지에 대한 사례이다.

성공 스토리 강조(Highlight Success Stories): 프레젠테이션 중에 피트니스 트레이너는 이미 이 프로그램에 참여한 고객들의 추천사례와 이전과 후의 사진을 보여준다. 그들은 피트니스 목표를 달성하고 삶을 변화시킨 개인들의 영감을 주는 이야기를 공유한다.

그룹 참여 강조(Emphasize Group Participation): 트레이너는 프로그램이 지역 주민들 사이에서 엄청난 인기를 얻고 있으며, 많은 사람들이 이미 등록했다고 강조한다. 그들은 개인들이 서로 지원하고 동기부여를 위해 그룹으로 참여하고 있다고 언급한다.

제한 시간 그룹 할인 제공(Offer Limited-Time Group Discounts): 즉시 조치를 촉구하기 위해 트레이너는 친구나 가족과 함께 그룹으로 등록하는 사람들에게 제한된 시간 동안 할인 혜택을 제공한다. 이것은 긴급성을 느끼게 하며 이미 많은 사람들이 기회를 활용하고 있다는 생각을 강화한다.

실시간 데모(Live Demonstrations): 트레이너는 이전 세션에서 열정적인 참가자들과 함께 실시간 피트니스 데모를 진행한다. 참가자들 간의 에너지와 친목을 보고 잠재적인 고객들은 프로그램에 참여하기로 더 확신한다.

사회적 증거(Social Proof): 과거 참가자의 성공을 보여주고 그룹 참여의 이점을 강조함으로써 트레이너는 Bandwagon 효과를 활용한다. 잠재적인 고객들은 피트니스 목표를 달성하고 지원적인 커뮤니티의 일원이 되는 다른 사람들을 보기 때문에 더 많이 등록할 가능성이 높다.

긴급성과 FOMO(Urgency and FOMO; fear of missing out): 제한된 시간 그룹 할인은 긴급성을 느끼게 하고 놓칠까 두려워하는 상황(FOMO)을 만든다. 사람들은 인기가 있고 특별한 혜택을 제공하는 기회를 놓치고 싶지 않아한다.

커뮤니티와 책임감(Community and Accountability): 이 경우 Bandwagon 효과는 인기뿐만 아니라 커뮤니티와 책임감을 만들어낸다. 사람들은 다른 이들이 같은 일을 하고 있음을 알 때 더 많은 동기부여를 받으며, 다른 사람들과 함께하게 됨으로써 약속을 지키려는 경향이 있다.

윤리적 고려(Ethical Consideration): Bandwagon 효과를 사용할 때 프로그램이 진정한 가치를 제공하고 고객의 피트니스 요구와 선호도가 일치하는지를 확인하는 것이 중요하다. 진정성과 투명성은 신뢰를 유지하는 데 중요하다.

시사점: Bandwagon 효과는 피트니스 프로그램에 참여하는 개인들을 설득하기 위해 인기, 성공 스토리 및 그룹 참여의 이점을 강조하는 데 효과적으로 사용된다. 이것은 고객들이 피트니스 목표를 달성하면서 지지적인 커뮤니티의 일원이 된다는 느낌을 만들어낸다.

✦ 새로운 레스토랑 그랜드 오프닝

한 도시에 새로운 레스토랑이 열리고, 그들은 그랜드 오프닝을 위해 큰 관심을 끌고 다양한 손님들을 유치하려 한다. 이 레스토랑이 Bandwagon 효과를 활용한 사례는 다음과 같다.

그랜드 오프닝 이전의 소셜 미디어 캠페인(Pre-Opening Social Media Campaign): 그랜드 오프닝을 앞두고, 레스토랑은 소셜 미디어 캠페인을 시작한다. 그들은 매력적인 게시물을 만들고 입맛 돋우는 음식 사진과 요리사의 숙련된 솜씨를 보여주는 동영상을 게시한다.

"대세 일부가 되세요" 슬로건("Be Part of Something Big" Slogan): 레스토랑은 "대세 일부가 되세요" 또는 "요리 혁명에 참여하세요" 와 같은 슬로건을 채택한다. 이 슬로건은 이 레스토랑이 새롭고 흥미로운 인기 목적지임을 강조한다.

VIP 테이스팅 이벤트(VIP Tasting Event): 그랜드 오프닝 이전에, 레스토랑은 지역 음식 블로거, 인플루언서 및 지역 사회 리더들을 위한 VIP 테이스팅 이벤트를 개최한다. 이 인플루언서들은 소셜 미디어에서 자신들의 긍정적인 경험을 공유하며 그들의 팔로워들 사이에서 기대감과 호기심을 일깨운다.

제한된 시간의 오프닝 스페셜(Limited-Time Opening Special): 그랜드 오프닝 날, 레스토랑은 처음 100명의 고객을 위한 제한된 시간의 특별한 메뉴를 할인된 가격으로 제공한다. 이는 긴급성을 느끼게 하고 새로운 레스토랑을 체험하기 위해 가장 먼저 찾아오고자 하는 욕구를 유발한다.

라이브 엔터테인먼트(Live Entertainment): 오프닝 날에 레스토랑은 현지 밴드나 재능 있는 마술사와 같은 라이브 엔터테인먼트를 선보였다. 이러한 엔터테인먼트는 전체 다이닝 경험을 향상시키며 기억에 남도록 만들어 고객들이 재방문 하도록 격려한다.

소셜 미디어 홍보(Social Media Buzz): Bandwagon 효과는 소셜 미디어 캠페인을 통해 활용되며, 사람들이 자신의 친구들과 인플루언서들이 레스토랑의 그랜드 오프닝에 대해 이야기하는 것을 보고 흥미를 느끼게 한다.

슬로건이 인기를 강화(Slogan Reinforces Popularity): 선택한 슬로건은 레스토랑의 인기를 강화시키고 도시에서 꼭 방문해야 할 장소로 각인시킨다.

인플루언서 마케팅(Influencer Marketing): 지역 인플루언서를 초대함으로써 레스토랑은 소셜 프루프의 힘을 활용한다. 신뢰할 수 있는 인물들의 긍정적인 리뷰와 경험은 다른 사람들에게 영향을 미치게 한다.

긴급성과 독점성(Urgency and Exclusivity): 제한된 시간의 스페셜 메뉴와 VIP 이벤트는 긴급성과 독점성을 조성하여 많은 사람들이 레스토랑을 조기에 방문하도록 유도한다.

기억에 남는 경험(Memorable Experience): 라이브 엔터테인먼트는 전체 다이닝 경험을 향상시켜 기억에 남도록 만들며 고객들이 재방문할 동기를 부여한다.

시사점 : Bandwagon 효과는 새로운 레스토랑의 그랜드 오프닝을 둘러싼 관심을 유발하기 위해 사용된다.

✦ 기술 제품 런칭

한 기술 회사가 새로운 스마트폰을 출시했다. 이 회사가 Bandwagon 효과를 효과적으로 활용하는 방법은 다음과 같다:

런칭 이전의 티저(Pre-Launch Teasers): 제품 런칭 이전 몇 주 동안, 이 기술 회사는 소셜 미디어에 티저 비디오와 게시물을 게시한다. 이러한 티저들은 제품의 흥미로운 기능을 일부 공개하지만 너무 많이 공개하지 않는다.

카운트다운 타이머(Countdown Timer): 회사는 공식 웹사이트와 소셜 미디어 프로필에 카운트다운 타이머를 만든다. 이로써 팔로워들 사이에서 기대감을 일으킨다. 사람들은 최신 기술 기기를 소유하는 첫 번째 사람 중 하나가 되기를 기대하고 있다.

베타 프로그램(Early Access Beta Program): 회사는 "베타 프로그램" 이라는 독점적인 프로그램을 제공한다. 이 프로그램에는 제품이 공식 출시되기 전에 제품을 사용해볼 수 있는 일부 고객들이 포함된다. 이 프로그램에 참여한 사람들이 소셜 미디어에서 자신의 경험을 공유하는 효과가 생긴다.

인플루언서 파트너십(Influencer Partnerships): 이 기술 회사는 기술 커뮤니티에서 큰 팔로워를 보유한 기술 인플루언서와 유튜버들과 협력한다. 이들 인플루언서들은 언박싱 및 리뷰 비디오를 제작하여 구독자들 사이에서 궁금증과 흥미를 불러일으키며 홍보한다.

제한된 시간 런칭 할인(Limited-Time Launch Discounts): 공식 런칭 날에 회사는 초기 사용자들을 위한 제한된 시간 할인과 번들 패키지를 제공한다. 이러한 할인 혜택은 이메일 뉴스레터와 소셜 미디어 채널을 통해 알린다.

기대감과 FOMO(Anticipation and FOMO): Bandwagon 효과는 티저, 카운트다운, 얼리 액세스를 통해 기대감을 일으킴으로써 활용된다. 사람들은 최신 기술 기기를 소유하는 기회를 놓치고 싶지 않는 심리가 작동된다.

사회적 증거(Social Proof): 베타 프로그램과 인플루언서 파트너십은 사회적 증거를 제공한다. 잠재적인 고객들은 다른 사람들이 제품을 공식 출시되기 전에 이미 즐기고 있음을 보고 트렌드를 따르려는 경향이 있다.

바이럴 마케팅(Word-of-Mouth Marketing): 얼리 액세스 프로그램의 참여자들은 제품에 대한 긍정적인 이야기를 통해 브랜드를 홍보하며 바이럴 마케팅을 진행한다.

제한된 시간 혜택(Time-Limited Incentives): 제한된 시간 할인은 사람들이 빠른 결정을 내리도록 자극하며 특별한 혜택을 놓치고 싶지 않아하는 욕구를 유발한다.

브랜드 충성도(Brand Loyalty): 흥미와 독점적인 클럽 일원이 된 느낌을 만들면 장기적인 브랜드 충성도로 이어질 수 있다.

시사점 : Bandwagon 효과는 새로운 기술 제품에 대한 흥미와 관심을 불러일으키기 위해 효과적으로 활용된다. 기대감, 사회적 증거, 독점 액세스를 활용하여 회사는 고객들에게 제품을 첫 번째로 소유하고 트렌드에 합류하도록 격려한다.

"설득의 세계에서는 많은 사람들의 의견이
종종 한 사람의 의견보다 더 큰 비중을 차지한다."
토마스 길로비치(Thomas Gilovich)

■ 밴드웨건 효과(Bandwagon effect)를 활용한 부정적 사례

✧ 인터넷 패키지 영업

A는 어떤 통신 회사의 영업 대표로서 새로운 인터넷 패키지의 월간 영업 목표를 달성하기 어려워졌다. 그의 상사로부터의 압박을 느끼며, 그는 잠재 고객에게 판매 프레젠테이션 중에 부정적인 밴드웨건 전술을 사용하기로 결정했다.

고객에게 이 지역의 모든 이웃들이 이미 그들의 새로운 인터넷 패키지를 구독하고 번개처럼 빠른 속도와 우수한 서비스를 경험하고 있다고 말했다. 지금 이 기세에 타지 않으면 놓치게 될 것이라고 주장했다.

고객은 이웃들의 경험을 믿으며 그 패키지에 가입하기로 결정했다. 그러나 설치가 완료되고 나서, 약속된 것보다 자주 끊기는 문제와 더 느린 속도를 경험했다.

신뢰 훼손(Loss of Trust): 부정적인 밴드웨건 전술을 사용하면 판매 대표와 고객 사이의 신뢰가 훼손된다. 이웃들의 경험이 판매를 강요하

기 위해 왜곡되었다는 것을 깨닫고 배신감을 느꼈다.

고객 불만(Customer Dissatisfaction): A의 서비스에 대한 불만은 분노와 실망을 가져왔다. 속았다고 느껴고 불만족한 고객이 되어 회사의 평판을 손상시키고 부정적인 소문을 낳을 수 있다.

잠재적인 법적 결과(Potential Legal Consequences): 고객들이 판매 프레젠테이션 중에 거짓 주장으로 인해 법적 조치를 취하려고 결정하면 회사와 판매 대표는 벌금과 신용 훼손을 비롯한 법적 결과를 마주할 수 있다.

단기적인 이익, 장기적인 손실(Short-Term Gains, Long-Term Losse): 단기적인 영업 목표를 달성했을 수 있지만, 부정적인 밴드웨건 전술은 회사와 그의 개인적 평판에 장기적인 손실을 초래했다. 지속 가능한 비즈니스 성공을 위해 윤리적이고 투명한 영업 관행을 우선시해야 한다.

시사점 : 대면 영업에서 밴드웨건을 부정적으로 사용하면 단기적인 이익을 가져올 수 있지만 종종 장기적인 부정적인 결과를 초래하며, 신뢰 손실, 고객 불만, 잠재적인 법적 문제 및 평판 훼손을 포함할 수 있다. 지속 가능한 고객 관계 및 명성 있는 비즈니스를 구축하기 위해 윤리적이고 투명한 영업 관행을 우선시해야 한다.

✧ **스킨케어 영업**

A는 한 스킨케어 회사의 영업 대표로서 잠재 고객인 B와의 일대일 상담 중 새로운 노화 방지 크림을 홍보하고 있었다. 제품을 구매하도록

압박하기 위해 부정적인 밴드웨건 전술을 사용하기로 결정했다.

프레젠테이션 중에 이 노화 방지 크림이 너무 인기가 많아 지역의 모든 주요 소매점에서 항상 품절이라고 주장했다. 제품이 품절되기 전에 손에 넣으려면 빨리 움직여야 한다고 강조했으며 모든 사람이 그것을 사고 있다고 주장했다.

놓치기 싫어 결국 제품을 구매하기로 결정했다. 그러나 크림을 몇 주 동안 사용한 후에도 피부 상태에 뚜렷한 개선이 없다는 것을 알게 되었다. 실망하고 좌절한 회사에 연락하여 불만을 표현했다.

신뢰 저해(Eroded Trust): 부정적인 밴드웨건 전술은 신뢰를 훼손시켰다. 제품의 인기가 구매하도록 압박하려면 과장되었다는 것을 깨달았을 때 속은 것처럼 느꼈다.

고객 불만(Customer Discontent): 불만은 제품에 대한 분노와 불만을 가져왔다. 자신이 속아 넘어가고 오해를 했으며 불만족한 고객이 되어 회사의 평판에 손상을 입힐 수 있으며 부정적인 입소문을 낼 가능성이 있다.

잠재적인 법적 결과(Potential Legal Consequences): 고객들이 판매 프레젠테이션 중에 거짓 주장으로 인해 법적 조치를 취하기로 결정하면 회사와 판매원은 벌금과 신용 훼손을 포함한 법적 결과를 마주할 수 있다.

단기적인 이익, 장기적인 손실(Short-Term Gains, Long-Term Losses): 단기적인 판매를 달성할 수 있었을지도 모르지만, 부정적인 밴드웨건 전술은 회사와 개인적 평판에 장기적인 손실을 초래했다. 지속 가능한 비즈니스 성공을 위해 윤리적이고 투명한 영업 관행이 중요하다.

시사점 : 대면 영업에서 부정적으로 밴드웨건을 사용하는 것이 신뢰 저해, 고객 불만, 잠재적인 법적 문제 및 평판 훼손을 초래할 수 있다는 것을 보여주며, 지속 가능한 비즈니스 성공을 위해 윤리적이고 투명한 영업 관행이 중요함을 보여준다.

✧ 금융 특정 상호 펀드

A는 금융 자문 회사의 영업사원으로, 특정 상호 펀드에 투자하도록 고객에게 설득하려고 했다. 미팅 중에 부정적인 밴드웨건 전술을 사용하기로 결정했다.

이미 많은 동료와 친구들이 동일한 상호 펀드에 대규모로 투자하고 놀라운 수익을 보고 있다고 말했다. 이미 밴드웨건에 올라탄 "똑똑한 투자자"들에 합류하지 않고서는 상당한 금전적 이득을 놓치고 있다고 강조했다.

사회적 압박을 느끼고 트렌드에 합류하려는 마음을 느낀 고객은 큰 금액을 상호 펀드에 투자하기로 결정했다. 그러나 시간이 지남에 따라 펀드는 주장한 대로 성과를 내지 못했다. 투자는 손해를 입었고, 그는 속았다고 느꼈다.

신뢰 저하(Eroded Trust): 부정적인 밴드웨건 전술은 신뢰를 훼손시켰다. 다른 사람들의 성공 이야기가 투자를 강요하기 위해 과장되었다는 것을 그가 깨달았을 때 그는 속은 것처럼 느꼈다.

금융 손실(Financial Loss): 거짓 주장에 기반한 투자 결정은 금전적 손실을 초래했다. 그는 판매원이 제공한 잘못된 정보를 신뢰하였으며 금융 상황에 부정적인 영향을 미쳤다.

평판 손상(Damaged Reputation): 속았다고 느껴 동료와 친구들과 부정적인 경험을 공유하여 A의 평판과 금융 자문 회사의 평판을 손상시켰다.

잠재적인 법적 결과(Potential Legal Consequences): 판매 프레젠테이션 중에 거짓 주장으로 인해 금융 자문 회사에 대해 법적 조치를 취하기로 결정하면 법적 결과와 금전적인 처벌을 초래할 수 있다.

시사점 : 대면 영업에서 부정적인 밴드웨건 사용이 신뢰 훼손, 금전적 손실, 평판 손상 및 잠재적인 법적 문제로 이어질 수 있다는 것을 보여준다. 윤리적이고 투명한 영업 관행은 지속 가능한 고객 관계를 구축하고 명성 있는 비즈니스를 유지하기 위해 중요하다.

―――――――――――――――――――

"미련한 자는 자기 행위를 바른 줄로 여기나
지혜로운 자는 권고를 듣느니라"
잠언 12:15

✧ 그 외 부정적 사례

오해의 소지가 있는 제품 보증(Misleading Product Endorsements):
세간의 이목을 끄는 사례에서 한 유명인은 "90%의 사용자가 일주일에 10파운드를 감량했다"고 주장하면서 체중 감량 보충제를 보증했다. 그러나 나중에 밝혀진 바에 따르면, 작은 표본 크기만 고려되었으며 실제 성공한 사용자 수는 이보다 훨씬 낮은 30% 내외였다. Bandwagon의 이러한 오용은 회사에 대한 법적 조치와 대중의 반발을 불러일으켰다.

소셜 미디어 인플레이션(Social Media Inflation): 한 패션 브랜드는 최신 제품이 인기 해시태그와 함께 '핫케이크처럼 팔린다'고 홍보하는 소셜 미디어 캠페인을 시작했다. 캠페인이 큰 화제를 불러일으켰지만, 제품 매출이 이전 출시에 비해 15%만 증가한 것으로 밝혀져 고객 행동을 조작한다는 과장된 주장이 있다는 비난이 이어졌다.

정치적 투표 호소(Political Voting Appeals): 지방선거에서 후보자의 캠페인 자료에는 "지역사회의 80% 이상이 우리를 지지한다"고 강조되었다. 그러나 조사 결과 여론조사에는 편향된 샘플링이 포함되어 있었고 실제 지지율은 45%에 가까운 것으로 나타났다. 이러한 Bandwagon의 오용은 잘못된 필연성 감각을 만들어 유권자들을 동요시키려고 시도했다.

경제적 버블 창출(Economic Bubble Creation): 부동산 붐이 일던 시절, 한 부동산 개발업체에서는 "현재 투자자의 95%가 구매하고 있다"고 광고했다. 이 주장은 개인이 적절한 실사 없이 투자하도록 장려했다. 결국 부풀려진 수요는 부동산 거품으로 이어졌고, 거품이 터지자 많은 투자자들이 손실을 입었다.

긴박감에 대한 잘못된 인식(False Sense of Urgency): 한 온라인 소매업체는 "재고가 2개밖에 남지 않았다!" 와 같은 메시지를 표시하여 밴드웨건(Bandwagon) 기법을 활용했다. 그리고 "오늘 700명이 이걸 샀어요." 라고 했지만, 조사 결과 실제 잔여 재고는 훨씬 더 많았고, 고객이 빠른 결정을 하도록 압력을 가하기 위해 구매 횟수를 과장한 것으로 나타났다.

"다수를 따라 악을 행하지 말며
송사에 다수를 따라 부당한 증언을 하지 말며"
출애굽기 23:2

■　밴드웨건 효과(Bandwagon effect)를 활용한 10가지 방법

사회적 증거(Social Proof)

제품이나 서비스를 지지하는 잘 알려진 회사, 조직 또는 영향력 있는 사람, 다른 사람들이 귀하의 제품 또는 서비스를 선택한 사실을 구체화하고 시각화한다. 기존 기업과 연관시키면 신뢰감과 타당성을 높인다.

예시: 고객의 증언, 리뷰 및 사례 연구를 강조하여 이전 고객들의 긍정적인 경험을 보여준다.

고객 이야기(Customer Stories:)

만족한 고객의 실제 이야기를 공유한다. 만족한 고객의 긍정적인 피드백과 성공 사례를 소개한다. 개인적인 이야기는 잠재적 구매자에게 공감을 불러일으킨다. 특정 결과와 변화를 강조하여 소속감을 조성하고 잠재 고객이 행복한 사용자 그룹에 합류하도록 장려한다.

예시: 특정 고객에게 어떤 문제를 해결했는지를 보여주는 비디오 증언 또는 서면 사례 연구를 작성한다.

인플루언서 인증(Influencer Endorsements)

귀하의 제품을 인증하는 산업 인플루언서와 협력한다. 인플루언서는 신뢰성을 확립하고 그들의 추천을 믿는 팔로워를 가지고 있다.

예시: 관련 있는 소셜 미디어 인플루언서와 협력하여 귀하의 제품을 그들의 대중에게 홍보한다.

한정된 가용성(Limited Availability) 및 기간 한정(Limited-Time Offers)

품절 또는 제한된 기간임을 강조한다. 놓치는 것을 두려워하는 FOMO(놓친다는 두려움)가 행동을 유도한다. 희소성과 인기를 강조하여 고객이 해당 제안의 혜택을 받는 더 큰 그룹의 일원이라고 인식되도록 한다.

예시: "이 가격으로 구입할 수 있는 좌석이 50개뿐입니다. 지금 행동하세요!" "이미 저축한 수천 명의 사람들과 함께 하세요" 또는 "10,000개

이상 판매됨"과 같은 문구

인기 지표(Popularity Metrics) 및 맴버쉽(Membership or Loyalty Programs)

좋아요, 공유 또는 다운로드 횟수와 같은 인기 지표를 표시한다. 현재 서비스를 사용하고 있거나 제품을 보고 있는 사람의 수를 표시하는 카운터를 통합한다. 참여도나 지출에 따라 다양한 수준의 혜택을 회원에게만 제공되는 안을 준비한다. 제품이나 캠페인과 관련된 눈길을 끄는 해시태그를 만들고 소셜 미디어를 활용해 사용자가 자신의 경험을 공유하도록 권장한다. 높은 숫자는 가치와 관련성을 나타낸다. 등급의 이름과 각 등급의 회원 수 증가를 강조하여 고객이 더 높은 지위를 위해 노력하도록 독려하는 효과가 있다. 실시간 업데이트되는 수치는 높은 수요와 인기를 암시해 밴드웨건 효과를 촉발한다. 성장하는 커뮤니티와 고유한 이점을 언급하면 신규 가입을 유도, 사용자 제작 콘텐츠를 소개하면 커뮤니티가 번성하고 있다는 인상을 줄 수 있다.

예시: "이 eBook은 10만 번 다운로드 되었습니다."
예시: "전 세계에서 1,000만 명 이상의 만족한 고객이 선택한 제품입니다."

커뮤니티 이벤트 및 워크숍(Community Events and Workshops)

고객이 서로 교류하고 배울 수 있는 가상 또는 오프라인 이벤트를 조직한다. 참여를 유도하기 위해 참석자 수와 이전의 성공적인 이벤트를 강조한다.

고객 로고(Customer Logos)

유명한 고객 또는 파트너의 로고를 표시한다. 존경 받는 브랜드와의 연관성은 신뢰를 높인다.

예시: "Google, Microsoft 및 Amazon과 같은 회사들의 신뢰를 받고 있습니다."

동료의 증언(Testimonials from Peers) 및 사례연구(Referral Programs)

비슷한 역할이나 업계의 개인들의 지지를 공유한다. 고객이 제품을 사용하여 달성한 측정 가능한 개선 사항에 대한 자세한 사례 연구를 제시한다. 동료들의 의견은 중요하며 공감을 불러일으킨다. 정량화 가능한 데이터를 보여주고 자신의 삶을 변화시킨 성취자들의 커뮤니티를 강조한다.

예시: "우리의 솔루션이 귀하와 같은 IT 전문가들에 의해 신뢰받고 있습니다."

트렌드와 연계(Trend References)

귀하의 제품을 현재의 트렌드나 움직임과 연계시킨다. 사람들은 "인" 것에 속하고 싶어한다.

예시: "지속 가능한 제품으로 친환경 운동에 동참하세요."

평가 및 수상(Ratings and Awards)

높은 평가, 순위 또는 수상을 강조한다. 외부 검증은 신뢰성을 높인다.

예시: "산업 전문가들에 의해 1위로 선정되었습니다."

**"밴드웨건 효과는 강물의 강한 흐름과 같아서
그 흐름을 거스르며 헤엄치는 것보다 흐름을 따라가는 것이 더 쉽다."**
미상(Unknown)

☞ 밴드웨건 효과(Bandwagon effect) 멘트

"혁신적인 제품을 사용하여 비즈니스를 혁신한 수천 명의 만족스러운 고객들의 반열에 합류하세요."
검증된 많은 고객들 사례에 동참할 것을 호소한다.

"이 제품은 현재 시장의 트렌드를 선도하는 제품으로, 대부분의 업계 리더들이 전환하고 있습니다."
업계 리더와 제품을 일치시킨다.

"우리 서비스는 수많은 고객으로부터 높은 평가와 추천을 받으며 화제가 되고 있습니다."
사회적 증거와 대중성을 강조한다.

"친환경 옵션으로 전환하는 다른 많은 사람들과 마찬가지로 저희 제품을 통해 친환경 혁명에 동참하세요."
대중적이고 사회적으로 책임을 다하는 운동과 제품을 연결한다.

"모두가 주목하는 이 기회를 놓치지 마시고 최첨단 기술로 앞서 나가세요."
긴박감과 FOMO(놓치면 안 된다는 두려움)를 조성한다.

"우리가 제공하는 탁월한 가치를 알아보는 사람들이 점점 더 많아지면서 고객 기반이 작년에 두 배로 증가했습니다."
제품에 대한 인기와 신뢰가 높아지고 있음을 강조한다.

"이웃과 마찬가지로 여러분도 고급 주택 단열 시스템으로 에너지 요금을 낮추고 편안함을 누릴 수 있습니다."
고객이 속한 커뮤니티와 공감할 수 있는 제품임을 강조한다.

"대부분의 고객이 첫 달 안에 놀라운 결과를 경험했습니다. 가입하여 직접 경험해 보세요."
대중적 성공을 예시로 신속한 결정을 촉구한다.

"이 제품은 올해 가장 많이 찾는 품목이며, 그 다양성과 효율성을 칭찬하는 사람들이 점점 더 많아지고 있습니다."
제품의 장점과 효과를 강조한다.

"업계에서 모두가 이야기하는 성공 스토리의 일부가 되세요. 저희의 방식은 많은 기업의 판도를 바꾸고 있습니다."
업계에서 성공적이고 인기 있는 트렌드에 동참할 것을 제안한다.

■ 요약

밴드웨건 기법은 사회적 증거 혹은 군중의 지혜 현상으로 다수를 따르려는 개념이다.
모두가 다 하고 있다는 인상을 주어 설득하는 기법이다.
사회적 수용에 대한 심리적 필요성에 근거가 있다..

■ 핵심키워드

밴드웨건, 사회적 증거, 군중의 지혜, 소속감과 고립, 소외감 회피, 사회적 수용, 다수에게 동조

■ 적용 질문

밴드웨건 기법이 영업과 설득에서 가지는 특징들은 무엇인가?
밴드웨건 기법을 영업과 설득에서 활용하면서 거둘 수 있는 기대효과는 무엇인가?
밴드웨건 기법을 효과적으로 활용하기 위한 10가지 방법은 무엇이고 나에게 있어 강화해야 할 요소는 무엇인가?

제 6 장

미러링(mirroring)

"동질감은 사람을 신바람 나게 한다."
닥터 브라이언(Dr. Brian)

미러링(mirroring)

■ 개념

미러링(Mirroring)은 타인과의 공감대를 형성하고 유대감을 구축하기 위해 설득과 판매에 널리 사용되는 심리적 기법이다. 이 개념에는 상호작용[29] 혹은 자동 모방[30]으로서 사람의 신체 언어, 몸짓, 목소리 톤 및 음성 패턴을 미묘하게 무의식적으로 모방[31]하는 것이 포함된다. 미러링은 사람들이 행동의 유사성을 인식할 때 더 편안하고 수용적인 느낌을 받는 경향이 있다는 생각에 뿌리를 두고 있다. 인지 신경과학의 맥락에서 다른 사람의 감정과 행동을 이해하고 신경학적 기초와 공감과의 연관성을 모색하는 것과 관련이 있고, 뇌의 거울 뉴런 시스템 즉 신경 메커니즘[32]에서 해석될 수 있다. 신경생리학적[33] 기초를 밝히고 근간이 되는 거울 뉴런이 다른 사람의 행동을 모방하고 이해하는데 중요한 역할을 제공하기도 한다.

미러링의 핵심 원리는 개인이 조화와 신뢰감을 조성하기 위해 무의식적으로 서로의 행동을 모방하는 사회적 모방의 원리에 있다. 누군가의 행동을 따라함으로써 잠재의식적인 유대감을 형성하고 상대방이 이해

---

[29] "Mirroring and Interactional Synchrony: A Critical Review of the Evidence and Its Implications" by Alan Costall

[30] "The Chameleon Effect: The Perception-Behavior Link and Social Interaction" by John A. Bargh, Mark Chen, and Lara Burrows

[31] "The Social Function of Imitation" by Andrew N. Meltzoff

[32] "Empathy and Mirroring: Insights from Cognitive Neuroscience" by Marco Iacoboni

[33] "Imitation and the Brain: The Neural Control of Imitation" by Giacomo Rizzolatti and Laila Craighero

받고 받아들여진다는 느낌을 갖게 할 수 있다. 이 기술은 저항을 줄이고 수용성을 높이며 친밀감[34]과 호감도를 높여 전반적인 의사소통 및 관계 구축 과정을 향상시키는 데 도움이 될 수 있다. 낯선 사람[35]과의 의사소통에서 비언어적 신호에 대한 미러링이 효과적으로 구사되기도 한다.

✦

"즐거워하는 자들과 함께 즐거워하고 우는 자들과 함께 울라."
로마서 12:15

미러링에는 상호 작용하는 사람의 신체적 측면(제스처, 자세, 표정), 음성 측면(톤, 속도, 음조) 및 언어적 측면(단어, 문구, 억양 선택)을 모방하는 것도 포함된다. 인위적이거나 조작된 것처럼 보이지 않도록 유사하면서 자연스럽게 실행되어야 한다. 공감의 환경을 조성하여 궁극적으로 더욱 생산적이고 성공적인 설득 또는 판매 대화로 이어질 수 있도록 하는 것이다.

---

[34] "The Like Switch: An Ex-FBI Agent's Guide to Influencing, Attracting, and Winning People Over" by Jack Schafer and Marvin Karlins
[35] "Talking to Strangers: What We Should Know About the People We Don't Know" by Malcolm Gladwell

"사람들은 자신과 비슷하게 생각하고 행동하는 사람들을 더 좋아한다."
존 C. 맥스웰 (John C. Maxwell)

■ 특징

자연스러움: 미러링은 강제적이거나 인위적으로 보이지 않아야 한다. 너무 과도하게 모방하면 상대방이 부자연스럽다고 느낄 수 있다.

관찰: 상대방의 행동, 몸짓, 언어 패턴 등을 세심하게 관찰하고 이해해야 미러링을 효과적으로 수행할 수 있다.

소통의 깊이: 모든 사람이나 상황에 미러링을 적용하는 것이 아니라, 상황과 개인의 특성에 따라 적절한 수준에서 미러링을 해야 한다.

신뢰 구축: 미러링을 통해 상대방과의 교감을 높이면, 그로 인해 상대방의 신뢰를 더 빨리 얻을 수 있다.

비평가적 자세: 미러링은 상대방의 행동이나 생각을 비평하거나 평가하는 것이 아니라, 그저 반영하는 것에 초점을 맞춘다.

영업 및 설득의 효과적 도구: 상대방과의 신뢰 관계를 빠르게 구축할 수 있기 때문에 영업이나 설득의 상황에서 미러링은 매우 효과적인 도구로 사용될 수 있다.

감정의 조절: 상대방의 감정이나 상태를 빠르게 이해하고 조절하는 데 도움을 준다.

시사점 : 미러링은 상대방과의 깊은 연결을 만들어내는 강력한 소통 도구이다. 영업, 설득, 그리고 일상의 다양한 소통 상황에서 상대방과 더 나은 관계를 구축하고 싶다면, 이 기법을 효과적으로 활용해볼 수 있다.

"진정한 경청은 타인의 말을 따라하는 것에서 시작된다."
라리 킹 (Larry King)

■   미러링(mirroring) 활용 성공 사례

✦ IT 솔루션 영업 상담 사례

A는 몇 년 동안 경력을 쌓은 IT 솔루션 영업사원이었다. 한 중견기업의 IT 담당자인 고객과 만났다. 처음부터 조금 비판적인 태도를 보였다. 상체를 뒤로 약간 제치고 다소 조그마한 목소리였다. "우리 회사에는 이미 비슷한 솔루션을 사용하고 있어요. 왜 그 제품이 더 나은지 설명해보세요." 라며 시작했다.

A는 고객의 태도와 말투를 자연스럽게 따라 하여, 약간 뒤로 상체를 제치고 나지막한 목소리로 대화를 시작했다. "그렇군요,   고객님 회사

에서 사용하고 있는 솔루션과 우리의 제품 사이에 어떤 차이점을 발견하실지 궁금하겠네요. 그렇다면, 지금 사용하고 계신 제품에서 느끼는 어려움이나 불만족스러운 부분이 있다면 말씀해주실래요?"

"음, 현재 사용하는 솔루션은 사용자 인터페이스가 복잡해요. 직원들이 사용하는데 어려움을 느낍니다." 라고 답했다.

고객이 언급한 표현에 대해 미러링 기법을 활용해 해당 문제점을 공감하며 말했다. "사용자 인터페이스의 복잡성 때문에 직원들이 어려움을 느낀다는 것, 정말 공감합니다. 우리 제품은 바로 그런 부분을 개선하여 사용자 친화적인 디자인을 갖추고 있어요."

이런 방식으로 대화를 진행하면서 서서히 고객의 신뢰를 얻기 시작했다. 미러링을 통해 그의 문제와 고민을 잘 이해하고 있음을 보여줬기 때문이다. 결과적으로 그 기업에 성공적으로 제품을 판매하게 되었다.

이 일화를 통해 미러링 기법이 어떻게 영업, 설득, 소통의 과정에서 활용될 수 있는지 알 수 있다. 상대방의 불안이나 고민을 직접적으로 반영하며 공감하는 과정을 통해 신뢰를 얻는 것이 중요하다.

✧ **채용이나 직원과의 면접**

A는 회사의 HR 담당자로서 새로운 인재를 뽑기 위한 면접을 진행하고 있었다. 어느 날, 한 지원자와 대면했다. 눈에 보일 정도로 긴장한 상태였다.

"최근 프로젝트에서 가장 어려웠던 순간과 그것을 어떻게 극복했는지 설명해 주세요."라고 질문했다.

"사실... 제가 주도적으로 한 프로젝트 경험이 많지 않아서 직접적인 어려움을 극복한 경험이 많지 않습니다."라고 대답했다.

A는 지원자의 표현에 대해 미러링하여 답변했다. "그런 경험이 아직 많지 않군요. 그럼에도 불구하고 당신이 참여한 프로젝트에서의 역할이나, 팀 내에서의 경험 등을 나눠주실 수 있을까요?"

지원자는 공감적인 대응에 조금 더 편안해진 듯하였다. "네, 직접적인 어려움을 극복한 경험은 부족하지만, 팀 프로젝트에서 제가 맡은 부분을 성실히 수행하며 전체 프로젝트를 완료하는 데 기여했습니다."라고 자신감 있게 대답했다.

이를 통해 미러링 기법이 어떻게 대화 상대의 감정을 안정화시키고, 그로 인해 더 생산적인 대화를 이끌어낼 수 있는지 확인할 수 있다. 미러링하여 그의 감정을 공감하며, 그로 인해 B가 더 자신감 있게 자신의 경험과 생각을 나누게 만들었다. 채용뿐 아니라 직원이나 팀원들과의 상담에 있어서 미러링을 통해 보다 생산적이고 건설적인 대화를 통해 풍성한 의사소통이 되도록 돕는다.

✧ 상사와의 미팅 혹은 영업상담

A는 최근에 식품 회사에 입사한 영업사원이었다. 맡은 지역의 큰 마트에서 신제품의 진열과 판매를 위한 협상을 위해 지점장과 만났다.

지점장은 앉자마자 "우리 지점에는 이미 많은 제품들이 진열돼 있어요.

새로운 제품을 넣기 위해선 기존 제품을 빼야 하는데, 그게 쉽지 않아요."라며 걱정스러운 표정을 짓고 오른쪽 손을 책상에 올리기도 하고 팔짱을 끼기도 하며 빠른 톤으로 말했다.

A는 지점장의 걱정스런 표정, 손의 위치, 말의 속도까지 미러링하며 대답한다. "그렇군요, 이미 진열된 제품들 때문에 새로운 제품의 진열에 대한 고민이 크신 거죠? 그럼 우리 제품의 핵심적인 특징과 장점에 대해서 좀 더 구체적으로 설명 드리면서, 어떻게 이 지점의 매출 향상에 도움이 될 수 있는지 알려드릴게요."

이어서, 제품의 독특한 원재료와 최근 트렌드에 맞는 특징, 그리고 다른 지점에서의 판매 실적 등을 자세히 설명했다. 특히, 유사 제품들 중에서도 가장 경쟁력 있는 가격대를 자랑한다는 점을 강조한다.

설명을 듣고 "그렇다면, 일단은 작은 공간에 진열해보고, 반응을 보도록 하자."라며 제안한다.

이를 통해 미러링 기법이 실제 영업 현장에서 어떻게 활용될 수 있는지 보여준다. 상대의 걱정과 고민을 미러링하여 그의 마음을 편안하게 만든 후, 제품의 장점과 특징을 구체적으로 설명하여 협상을 성공적으로 이끌어냈다.

"사람들은 당신이 한 말은 잊고, 당신이 한 행동은 잊지만,
당신이 그들에게 어떤 느낌을 주었는지는 결코 잊지 못한다."
메이아 앤젤루 (Maya Angelou)

■ 미러링(mirroring) 활용 부정적 사례

✧ 자동차 영업 상담

A는 몇 년 동안 경력을 쌓은 자동차 판매사원이었다. 어느 날, 고객이 세단 모델에 대한 문의를 하러 왔다. 처음부터 "이 차의 연비는 정말로 다른 차량보다 좋다고 들었는데, 실제로 그런가요?"라며 의심에 가득 찬 눈빛과 공격적인 톤으로 물었다.

A는 고객과 같이 차갑고 강한 어조로 답변했다. "사실 많은 고객님들이 연비에 대한 의문을 갖곤 해요."

고객은 그 답변에 대해 조금 당황했다. "그럼, 이 차를 사야 할 이유가 없는 건가요?"

미러링의 의도는 고객의 말투와 태도에 맞대응 하면서 분위기를 바꾸려 한 것이지만, 오히려 고객에게 자신이 그 차의 연비에 대해서도 의심하는 것처럼 비쳤다. "아, 아니요. 이 차의 연비는 실제로 탁월해요." 라고 해명하려 했지만, 이미 불신감을 생겨 버렸다.

결국, 다른 차량을 둘러보기로 하며 떠나버렸다.

이는 미러링 기법이 잘못 사용될 경우, 상대방에게 부정적인 인상이나 불신감을 줄 수 있음을 보여준다. 의도는 상대의 의심을 공감하여 신뢰를 얻으려는 것이었지만, 그 방식이 상대에게 자신도 해당 차량의 연비를 의심한다는 인상을 주었다.

❖ 부동산 중개 상담

A는 부동산 중개사로 일하고 있었다. 사무실에는 어느 날 젊은 부부가 원룸 구하기를 원해 방문했다. "이 근처에 조용한 곳을 찾고 있어요. 최근에 아기가 태어나서 조용한 환경이 필요하거든요." 라고 설명했다.

A는 말을 미러링하려 하면서 "아, 아기 때문에 조용한 곳을 찾는 거죠? 그럼 여기 근처는 대부분 시끄러운 곳이라서 다른 지역을 추천 드리는 게 좋을 것 같아요."라고 답했다.

A의 말에 놀란 표정으로 "그럼 이 근처에는 조용한 원룸은 없다는 건가요?"라고 물었다.

잠시 당황한 뒤 "아니요, 그렇진 않은데…"라고 말하려 했으나, 이미 이 근처의 원룸을 소개하기를 원하지 않는다는 인상을 받았다.

결국 부부는 사무실을 빠르게 떠나 다른 부동산으로 가버렸다.

이는 미러링 기법이 부적절하게 적용될 경우, 원하지 않는 결과를 초래할 수 있음을 보여준다. 의도는 공감하고 그에 맞는 솔루션을 제시하려는 것이었지만, 부부에게는 그들의 요구에 부응해주기를 원하지 않는 것처럼 비쳤다.

"너희 말을 항상 은혜롭게 하여 소금으로 고르게 함같이 하라
그리하면 각 사람에게 마땅히 대답할 것을 알리라."
골로새서 4:6

✧ 진실하지 못한 허위 미러링

A는 회사에서 새로운 프로젝트 팀의 리더로 임명되었다. 팀에는 다양한 부서에서 온 팀원들이 있었고, 그 중 한 명이 디자인 부서에서 온 팀원이었다.

팀을 더 잘 이해하고 싶었고, 각 팀원과의 개별 면담을 진행하기로 했다. 디자인 부서에서 온 팀원은, "디자인 프로세스 측면에서 볼 때 종종 팀 내에서 무시 받는다고 느껴져서 힘들어요."라고 고백했다.

빠르게 미러링 기법을 활용하려 했으나, 실제로는 디자인 프로세스의 중요성을 크게 인식하지 못했다. 그럼에도 불구하고 "아, 저도 그런 느낌을 받았어요. 정말 디자인이 중요하죠."라고 허위로 답했다.

하지만 이전 회의 때 A가 디자인에 대한 의견을 대충 넘겨버린 것을 떠올렸다. 그로 인해 답변이 진심이 아니라고 느꼈다. "정말 그렇게 생각하시나요? 지난 회의 때는 그렇게 보이지 않았습니다."라며 의심스러운 표정을 지었다.

A는 당황했으며, 허위 미러링의 결과로 B와의 신뢰 관계가 약해지고

머쓱해진 것을 느꼈다.

이는 허위 미러링이 대화 상대와의 신뢰 관계를 손상시킬 수 있음을 보여준다. 진심을 담지 않은 공감은 상대방에게 허위로 느껴질 수 있으며, 그로 인해 신뢰가 무너질 수 있다.

✧ 과도한 미러링 사례

A는 상담사로 일하며 고객들의 문제를 듣고 해결 방안을 제시하는 일을 하고 있었다. 그의 상담 방식 중 하나는 고객의 감정과 문제를 잘 이해하고자 미러링을 활용하는 것이었다.

어느 날, 힘들게 일을 마치고 휴식을 취하고자 상담센터를 찾은 고객이 상담을 받기로 했다. "최근에 일이 너무 많아져서 스트레스를 많이 받고 있어요. 힘들어요."라고 말했다.

말을 듣고 과도하게 미러링을 시작했다. "그래요? 일이 많아져서 스트레스를 많이 받고 있다고요? 그래서 힘들다고요?"라며 상대의 말을 그대로 되풀이했다.

A의 반응에 당황했다. "네, 그렇게 말했잖아요."라고 답했다.

미러링을 계속하며, "그렇게 말했다고요?"라고 물었다.

고객은 점점 불편해지며, "상담사인데 왜 내 말을 계속 반복하나요?"라고 말했다.

이는 미러링 기법을 과도하게 활용할 경우, 상담이나 대화의 효과를 저해할 수 있음을 보여준다. 지나친 미러링은 불편함을 주었으며, 그로 인해 실질적인 상담이 이루어지지 않았다.

✦ 일치 되지 않은 미러링

A는 신입으로 회사에 들어와 한 간부와 첫 1:1 회의를 가졌다. A는 그의 기대와 생각을 잘 파악하고자 하였으며, 그러기 위해 미러링 기법을 활용하기로 마음먹었다.

회의 중, "이번 프로젝트에 대해서는 기대치가 정말 높아요. 신중하게 진행하면서도 빠른 결과를 보여주길 바랍니다."라고 말했다.

A는 간부의 강조와 뉘앙스를 정확히 파악하지 못한 채 미러링을 시도했다. "그러니까, 이 프로젝트에 대해서는 그냥 편안하게 진행하면서도 결과를 내야 한다는 거죠?"라며 대답했다.

간부는 당황했다. "아니, 내 말은 '신중하게'와 '빠르게'라는 부분을 강조한 건데, '편안하게'라는 단어는 어디서 나온 건가요?"라며 질문했다.

A는 자신의 미러링이 상대의 의중과 일치하지 않다는 것을 깨닫고 당황했다. "죄송합니다, 제가 잘못 이해했어요."라고 사과했지만, 이미 그의 경청 능력에 대해 의심을 가지게 되었다.

이는 미러링을 잘못, 혹은 부정확하게 활용할 경우, 대화 상대와의 미스 커뮤니케이션을 초래하고 신뢰 손상을 가져올 수 있음을 보여준다. 상대의 말을 정확히 반영하지 않아 의도치 않은 오해를 불러일으켰다.

✧ 문화적 이해부족 사례

A는 국제 기업에서 근무하며, 세계 각국의 동료들과 자주 협업을 해야 했다. 어느 날, 인도 지사의 파트너와 중요한 비즈니스 미팅을 가졌다.

미팅 중 자신의 문화적인 배경과 관련하여, "저희 나라에서는 사업을 시작하기 전에 종교적인 의식을 갖는 것이 전통입니다. 그것은 우리에게 중요한 의미를 갖죠." 라고 설명했다.

A는 그의 이야기를 듣고 미러링을 활용하려 했다. 그러나 충분한 문화적 이해 없이 접근했다. "아, 그러니까 그냥 사업 시작 전에 좋은 운을 빌기 위한 것 같은 거군요? 여기에서도 그런 것들이 있어요. 행운을 빌기 위한 거잖아요?" 라고 답했다.

그의 반응에 당황했다. "아니요, 그것은 단순히 행운을 빌기 위한 것이 아니라, 우리의 신앙과 깊은 전통을 나타내는 중요한 의식입니다."라고 말했다.

그제서야 이해가 부족한 상태에서 대응했다는 것을 깨달았다. "정말 죄송합니다. 제가 잘못 이해했습니다." 라고 사과했지만, 파트저는 이미 그의 태도에 대해 실망감을 느끼고 있었다.

이는 문화적 배경이나 전통을 단순화하거나 잘못 이해하여 미러링을 시도할 경우, 상대방을 기분 나쁘게 하거나 불쾌하게 만들 수 있음을 보여준다. 상대의 문화와 전통을 정확히 이해하고 반영하지 않아 의도치 않은 갈등을 불러왔다.

"먼저 이해하려고 노력한 다음 이해 받기를 구하라."
스티븐 R. 코비(Stephen R. Covey)

■ 미러링(mirroring) 활용 10가지 방법

상대방의 말투 반영하기

고객의 말투나 억양을 반영하여 대화하는 것이다. 고객과의 동질감을 증가시킨다.

사례: 고객이 "이 제품에 대해 어떻게 생각하세요?" 라고 물을 때, 고객의 말투와 억양을 반영해 가급적 유사하게 "이 제품에 대해서는 정말 좋은 피드백을 받았어요." 라고 답변하는 것이다.

몸짓과 표정 모방하기

고객의 몸짓이나 표정을 자연스럽게 따라 하며 공감을 표현하는 것이다. 복장에 대한 스타일도 상대와 적합한 옷을 입으면 유대감과 친밀감이 높아진다. 비언어적인 공감으로 친밀감과 신뢰감을 증가시켜 상호작용이 더욱 편해진다.

사례: 고객이 제품을 보며 흥미로운 표정을 짓는다면, 같은 흥미로운 표정으로 제품에 대한 설명을 시작하고 앞으로 몸을 기울이면 함께 같은 방향으로 기울이는 것이다.

고객의 감정에 공감하기

고객의 감정을 인식하고 그에 따라 감정적 어조를 일치시키고 공감의 말을 전달하는 것. 상대의 어려움과 경험에 집중하고 유사한 일화를 공유하는 것이다. 고객의 불안이나 궁금증을 해소시키며 공감을 형성하고 관계를 강화한다.

사례: 고객이 "이 가격에는 좀 비싼 것 같아요."라고 표현할 때, "가격에 대한 고민이 있으시군요. 어떤 점에서 그렇게 느끼셨는지 들어봐도 될까요?"라고 대응하는 것이다.

———— ⚔ ◇ ⚔ ————

"경우에 합당한 말은 아로새긴 은 쟁반에 금 사과니라."
잠언 25:11

대화의 속도와 톤 조절하기

고객의 대화 스타일에 맞춰 자신의 속도와 톤을 조절하는 것이다. 대화의 리듬과 타이밍이 맞춰져 일치감과 친밀감을 형성하고 효과적인 의사소통이 이루어진다.

사례: 고객이 천천히, 여유롭게 말할 때 그에 맞춰 천천히 답변하는 것이다.

고객의 관점에서 생각하기

상품이나 서비스를 고객의 입장에서 바라보고, 그 관점을 반영하여 설득하는 것이다. 고객의 궁극적인 필요와 욕구에 더욱 부합하는 제안을 할 수 있다.

사례: "제품을 사용하면 어떤 점에서 도움을 받을 수 있을까요?"라는 질문에, "이 제품은 고객님께서 특히 필요로 하는 기능을 갖추고 있습니다."라고 답변하는 것이다.

상대방의 의견 반복하기

고객의 말을 중요한 부분만 간략히 반복하여 확인하는 것이다. 핵심사항을 반복해 적극적 경청과 이해를 보여 상대의 우려사항이나 이슈, 목표를 우선적으로 다시 반복하고 그들에게 집중하고 주의를 기울임을 보여준다. 고객의 의견을 잘 듣고 있음을 보여주며, 오해 없이 정보를 이해하도록 돕는다.

사례: "즉, 고객님은 이 제품의 A 기능이 특히 중요하다고 생각하신다는 거죠?"

상황에 따른 미러링 조절하기

과도한 미러링은 부자연스러울 수 있으므로 상황에 맞게 적절히 활용하는 것이다. 자연스러운 대화 흐름을 유지하며, 상대방의 반감을 줄인다.

사례: 고객이 여러 가지 문제를 제시할 때, 모든 문제에 미러링을 사용

하기보다는 주요 문제에만 집중하여 미러링하는 것이다.

고객의 용어 사용하기

고객이 사용하는 용어나 표현, 문구를 그대로 사용하여 대화하는 것이다. 고객의 언어와 어휘를 사용함으로써 고객과의 공감대를 높인다.

사례: 고객이 "이 제품의 연비가 어떻게 되나요?" 라고 물었을 때, "이 제품의 연비는 …"라고 답하는 것이다.

경청의 자세 갖기

고객의 말을 집중적으로 듣는 자세를 갖추는 것이다. 고객의 불만이나 필요를 정확히 파악하여 적절한 제안을 할 수 있다.

사례: 고객이 제품의 문제점을 지적할 때, 해결 방안을 제시하기 전에 "그 부분에 대해 더 자세히 알려주실 수 있나요?" 라고 물어보는 것이다.

진심을 담아 미러링하기

미러링은 기계적이거나 표면적으로만 이루어지면 효과가 없다. 진심을 담아야 한다. 진심이 담긴 미러링은 고객과의 신뢰 관계를 빠르게 구축한다.

사례: 고객이 "이 제품이 정말 내게 필요한 건지 모르겠어요."라고 했을 때, "정말로 그런 고민이 있으시군요. 어떤 부분에서 그렇게 느끼셨는지, 제가 도와드릴 수 있을까요?"라고 진심을 담아 답하는 것이다.

"공감이란 자신에게서 다른 사람의 메아리를 찾는 것이다."
모신 하미드(Mohsin Hamid)

☞ 미러링(mirroring) 멘트

*고객이 "비용 효율적인 것을 찾고 있습니다." 라고 말하면 "물론이죠,
비용 효율적인 솔루션을 찾는 것이 중요합니다." 라고 답해본다. 투자
대비 큰 가치를 제공하는 몇 가지 옵션을 살펴보시지요."라고 답할 수
있다.*

*고객이 "실행이 효과적일지 잘 모르겠습니다." 라고 우려를 표명하면 "
실행의 절차와 효과를 이해하는 것이 중요합니다." 라고 답해본다. 모
든 것이 명확하게 이해될 수 있도록 프로세스를 안내해 드리겠습니다."
라고 답할 수 있다.*

*고객이 특정 전문 용어나 업계 용어를 사용하는 경우에는 해당 용어를
그대로 사용한다. 예를 들어, "네, 장기적인 혜택과 효율성 향상을 고려
할 때 이 투자에 대한 ROI는 상당합니다." 라고 설명한다.*

*고객이 "사용자 친화적인 제품이 필요합니다." 라고 말하면 "저희도 사
용자 친화성을 최우선 과제로 삼고 있습니다. 저희 제품은 사용 편의
성을 염두에 두고 설계되었습니다." 라고 답할 수 있다.*

고객이 매우 열광적인 반응을 보인다면 고객의 열정에 맞춰 "이 제품에 대해 흥분하시다니 정말 기쁘네요! 저도 그렇습니다. 이 제품에는 여러분이 좋아할 만한 놀라운 기능이 몇 가지 있습니다." 라고 답할 수 있다.

좀 더 내성적이거나 분석적인 고객에게는 "세부 사항에 관심을 가져 주셔서 감사합니다. 이 제품의 가치를 강조하는 세부 사항과 데이터 자료를 자세히 살펴봅시다." 라고 말한다.

고객이 지원에 대해 우려한다고 언급하면 "신뢰할 수 있는 지원을 받는 것이 중요합니다. 저희는 필요한 모든 지원을 받으실 수 있도록 포괄적인 애프터 서비스를 제공합니다." 라고 답할 수 있다.

고객이 지속 가능성에 초점을 맞추고 있다면 이 가치에 맞춰 "지속 가능성은 저희 정신의 핵심 부분이기도 합니다. 이 제품은 환경을 고려하여 설계되었습니다." 라고 답할 수 있다.

고객이 구어체나 캐주얼 한 어조를 사용하는 경우에는 "네, 이 가젯은 정말 멋지네요. 원하는 모든 최신 기능이 탑재되어 있습니다." 라고 적절히 대응한다.

고객이 신중한 태도로 말하는 경우 "무슨 말씀인지 알겠습니다. 옵션을 신중하게 고려해 봅시다. 저희 제품은 고객의 요구사항에 잘 부합하는 사려 깊은 솔루션을 제공합니다."

■ 요약

미러링은 상호작용, 자동모방으로 유대감과 동질감을 형성한다.
미러링으로 저항을 줄이고 수용성, 친밀감, 호감도를 높인다.
미러링에는 신체적, 언어적 측면이 모두 포함된다.

■ 핵심키워드

미러링, 상호작용, 자동모방, 유사성, 공감, 거울뉴런, 상대관점, 적극
적 경청, 진심

■ 적용 질문

미러링이 설득과 영업에 있어 중요한 요소인가?
미러링으로 기대할 수 있는 효과는 무엇인가?
미러링을 효과적을 활용하는 방법 10가지는 무엇이고 나에게 강화되
어야 할 요소는 무엇인가?

제 **7** 장

두운 기법(Alliteration)

"운율의 리듬은 신명 나게 한다."
닥터 브라이언(Dr. Brian)

두운 기법(Alliteration)

■ 개념

두운 기법(Alliteration)은 언어유사성의 일환으로 두운이나 운율이라고도 하는데, 같은 소리가 연속적이거나 같은 음률의 형태로 단어들의 반복을 활용한 언어기법이다. 영업, 설득, 스피치, 글쓰기 등 의사소통의 기술적 맥락으로 언어적 측면과 문학적 측면에서 활용된다. 보다 명확하고 설득력 있게 전달하기 위한 언어적[36] 장치로 생동감이 있고 풍부한 표현력으로 음악적 감각을 자극하는 수사적 기술이다[37]. 같은 소리들의 패턴으로 전달되어 의미와 감정을 풍성하게 전달한다. 문체[38]의 리듬과 어조를 활용한 연상적인 표현기법으로 기억에 오래 남는데 유익하고 이야기의 질감과 시적[39] 품질을 높인다. 예를 들어, Rice Krispies의 "Fast and Furious", "Coca-Cola", "Snap, Crackle, Pop", '바람 부는 바닷가', '빛나는 별빛'과 같은 표현이다. 같은 소리나 글자의 반복은 구절이나 문장을 더 강조하고, 눈에 띄게 한다. 따라서, 설득, 영업, 광고, 슬로건에서 흔히 사용되며, 소비자들의 주의를 끌거나 특정상품이나 서비스를 기억하기 쉽게 만든다.

---

[36] "The Sound of Poetry / The Poetry of Sound" edited by Marjorie Perloff and Craig Dworkin

[37] "A Handbook of Rhetorical Devices" by Robert A. Harris (2008)

[38] "Stylistics: A Practical Coursebook" by Kate Burridge and Tonya N. Stebbins

[39] "Rhyme's Reason: A Guide to English Verse" by John Hollander (1989)

"두운은 매력적인 관심을 불러일으킨다."
브라이언 트레이시(Brian Tracy)

■ 특징

문장 또는 표현에 특별한 리듬을 부여하여 내용의 강조나 중요성을 높인다. 같은 소리의 반복은 사람들의 뇌에 강한 인상을 남기므로 정보를 더 오랫동안 기억하는 데 도움을 준다. 두운 기법을 통해 듣고 읽는 이에게 시각적이나 청각적인 즐거움을 제공한다. 상품 이름, 슬로건, 광고 문구 등에서 활용하여 소비자의 관심을 끌고, 기억에 남는 브랜딩을 구축하거나 브랜드의 독특한 이미지나 개성을 구축하는데 효과적이다. 사람들은 언어 유사성이 들어간 문장이나 메시지에 더 강하게 반응하는 경향이 있다. 따라서, 설득의 대상이 해당 메시지나 제안에 더 긍정적으로 반응할 가능성이 높아진다. 정보의 전달이나 스토리텔링에서 활용하면, 메시지의 전달력을 향상시키고, 받는 사람의 관심과 집중도를 높일 수 있다. 다만, 효과적인 커뮤니케이션 도구일 수 있지만, 과도하게 사용될 경우 인위적이고 억지스러운 느낌을 줄 수 있다. 따라서 적절한 상황과 문맥에서 사용하는 것이 중요하다.

"매력적인 의사소통은 창의성과 두운을 결합한다."
지그 지글러(Zig Ziglar)

■ 두운 기법(Alliteration) 활용 사례

❖ '코카-콜라(Coca-Cola)'

'코카-콜라(Coca-Cola)'는 '코'와 '콜'의 반복으로 인해 기억하기 쉽다. "Better Butter makes your batter better"와 같은 슬로건은 제품의 특성을 강조하면서 동시에 청각적인 매력을 더해 소비자의 기억에 오래 남게 한다.

인지도 향상: 두운 기법은 소비자에게 상품이나 서비스를 기억하기 쉽게 만든다. 같은 소리나 글자의 반복은 뇌에 강한 인상을 남기므로, 광고나 판촉 문구에 사용될 때 특히 효과적이다.

감정적 연결: 특정한 리듬과 소리의 반복은 소비자의 감정과 연결될 수 있다. 이로 인해 브랜드나 상품에 대한 긍정적인 감정이 형성될 수 있다.

창의적 활용: 영업과 마케팅 전략에서 두운 기법을 창의적으로 활용하면 브랜드나 상품의 독특한 가치를 전달하는 데 큰 도움이 된다.

소비자의 관심 유도: 현대 사회에서 소비자의 주의를 짧은 시간 안에 끌어들이는 것은 중요한 마케팅 전략이다. 두운 기법은 이러한 목적에 매우 효과적이다.

과도한 사용 주의: 하지만 언어 유사기법을 과도하게 사용하면, 소비자에게 인위적이거나 억지스럽게 느껴질 수 있다. 적절한 균형을 유지하는 것이 중요하다.

✦ M&M's

M&M's는 "Melts in your mouth, not in your hand" 라는 슬로건으로 유명하다. 'Melts'와 'mouth'의 'M' 소리 반복은 청각적인 매력을 더하고 제품의 핵심 특성을 강조하다. 도넛 브랜드인 "Dunkin' Donuts"이나 'Dunkin''과 'Donuts'의 'D' 소리 반복으로 브랜드명을 더 독특하고 기억하기 쉽게 만들었다.

브랜드 인지: "Dunkin' Donuts"와 같은 언어 유사성을 포함한 브랜드명은 소비자들 사이에서 더욱 뚜렷한 이미지를 형성하며, 다른 브랜드들과 쉽게 구분되게 한다.

제품의 특징 강조: M&M's의 슬로건은 제품의 주요 특징을 강조하면서도 청각적인 매력을 더해 소비자에게 기억에 남는 메시지를 전달한다.

감정적 반응 유도: 'Dunkin' Donuts'나 'M&M's'와 같은 브랜드나 제품은 그들의 언어 유사성을 통해 소비자에게 감정적인 반응을 유도하다. 이는 소비자의 구매 결정에 큰 영향을 줄 수 있다.

경쟁에서 구별되는 브랜드 가치: 시장에서 많은 경쟁 브랜드들과 구분되는 독특한 브랜드 이미지나 메시지는 소비자들의 선택에서 우선적으로 고려될 가능성이 높아진다.

과용의 위험성: 언어 유사성의 과용은 소비자에게 반감을 주거나 메시지의 진정성을 떨어뜨릴 수 있다. 따라서 적절하게 활용하는 것이 중요하다.

✦ "Galaxy Gear"

삼성의 "Galaxy Gear" 스마트워치. 'Galaxy'와 'Gear'의 'G' 소리의 반복은 'iPhone', 'iPad', 'iPod' 등 Apple의 제품군과 같은 맥락으로 제품 이름에 독특한 리듬을 부여하며, 삼성의 'Galaxy' 라인과의 연계성을 강조한다.

브랜드 일관성: 'Galaxy Gear'는 삼성의 스마트폰 라인업인 'Galaxy'와의 연계성을 강조하여, 브랜드의 일관된 이미지를 전달하고자 했다.

기억하기 쉬운 이름: 'G'의 반복은 제품 이름을 더욱 독특하게 만들어 소비자들이 쉽게 기억하고 구별할 수 있게 했다.

라인업 전략: 브랜드의 다양한 제품군 사이에서 일관성을 유지하는 것은 소비자가 브랜드를 신뢰하고 인식하는 데 중요하다. 언어 유사성은 이러한 전략을 강화하는 데 도움을 준다.

강력한 브랜딩: 'Galaxy Gear'와 같이 강한 언어 유사성을 가진 제품명은 브랜드의 강력한 이미지를 구축하는 데 기여한다.

✦ 자동차 대면 판매

자동차 판매사원이 고객에게 새로운 모델을 소개할 때 "고급스러운 구조, 굉장한 가속성, 그리고 고요한 주행감" 이라는 표현을 사용하는 경우이다.

차량의 특징 강조: 판매사원은 '고급스러운', '굉장한', '고요한' 세 가지 키워드로 차량의 주요 특징을 강조하는 것이다. 'ㄱ' 자의 언어 유사성을 통해 고객의 주목을 집중시킨다.

즉각적인 피드백 활용: 고객의 반응을 살펴보며, 언어 유사성을 활용한 설명을 추가로 제공, 고객의 관심을 유지한다.

인상 깊은 메시지: 언어 유사성을 활용한 표현은 고객에게 더 강렬한 인상을 주며, 제품의 특징을 더욱 뚜렷하게 인식시킨다.

대화의 리드: 판매사원이 리드하는 대화 흐름에서 언어 유사성은 고객과의 소통을 더욱 원활하게 만들며, 고객의 질문이나 관심사를 적극적으로 활용하는 데 도움을 준다.

판매의 성공률 향상: 강조된 제품 특징과 유기적인 소통은 고객의 구매 의사 결정 과정에 긍정적인 영향을 미친다

✧ **화장품 판매 상담**

화장품 매장에서 판매원이 고객님께 스킨케어 제품을 소개할 때 "뽀송뽀송한 피부, 빛나는 피부로 가꾸어드립니다." 라는 표현을 사용하는 경우이다.

제품의 주요 효과 강조: '뽀송뽀송'과 '빛나는'이라는 표현을 통해 제품의 주요 효과를 강조한다. '뽀'와 '빛'의 소리의 반복이 고객의 인식에 더욱 강하게 남는다.

고객의 호감 형성: 이러한 표현을 들은 고객은 해당 제품에 대한 호감을 느끼게 되며, 제품을 시도해보고자 하는 마음이 생기게 된다

효과적인 메시지 전달: 언어 유사성을 사용하면 메시지의 전달력이 강화된다. 고객이 메시지를 더 잘 기억하게 되고, 제품에 대한 호감도 형성된다.

판매 성공률 향상: 메시지의 효과적인 전달은 실제 판매로 이어질 가능성을 높인다

"설득의 힘은 두운의 아름다움에 있다."
마야 안젤루(Maya Angelou)

■ 두운 기법(Alliteration) 부정적 활용 사례

❖ **"기적적으로 살이 녹는다(Miraculously melting weight)" 문구의 체중 감량 제품**

언어 유사성 활용: "기적적으로 살이 녹는다(Miraculously melting weight)" 는 문구는 'm' 소리의 반복을 통한 언어 유사성을 포함하고 있다. 이러한 표현은 소비자의 주목을 끄는 효과가 있다.

과장된 주장: "기적적으로"라는 표현은 체중 감량이 아주 빠르고 특별하

게 일어난다는 과장된 이미지를 연상시킨다.

부정적 효과의 원인: 두운기법 자체가 문제를 일으키는 것은 아니다. 그러나 "기적적으로 살이 녹는다"라는 과장된 주장과 결합될 때, 소비자들은 제품의 신뢰성에 의문을 가질 수 있다. 실제 제품의 효과와 주장 사이에 큰 차이가 있다면, 고객의 불신이나 불만이 생길 수 있다.

유의사항: 두운기법을 활용하여 강조하거나 주목을 받고자 할 때, 주장의 진실성이나 과장의 정도를 잘 판단해야 한다. 과장된 광고나 주장은 장기적으로 브랜드의 이미지나 신뢰도에 해를 끼칠 수 있다. "기적적으로 살이 녹는다"라는 문구는 언어 유사성을 통해 주목 받을 수 있지만, 과장된 주장이나 실제 제품의 효과와의 일치성을 고려하지 않을 경우 부정적인 결과를 가져올 수 있다. 활용 시 주의사항과 함께 실제 제품의 효과와 주장 사이의 균형을 잘 맞추는 것이 중요하다.

❖ **"완벽하게 모공 없이 완벽하게" 주장하는 화장품 광고에서의 두운기법 활용 사례**

언어 유사성 활용: "완벽하게 모공 없이 완벽하게"라는 문구에서 '완벽하게'의 반복은 언어 유사성을 활용한 부분이다. 이 표현은 제품의 효과를 강조하려는 의도로 사용되었다.

중복 및 과장된 표현: 같은 의미의 단어를 반복적으로 사용하는 것은 메시지의 중복을 초래하며, 과장된 느낌을 줄 수 있다.

메시지의 효과 감소: 보통 메시지의 강조나 기억력 향상을 위해 사용되지만, 불필요하게 중복되거나 과도하게 사용될 경우, 오히려 메시지의

효과가 감소할 수 있다.

소비자의 불신: 과장되거나 중복된 표현은 소비자에게 제품의 신뢰성에 대한 의문을 제기하게 만들 수 있다. 특히 화장품 같은 경우, 효과와 관련된 주장은 소비자의 선택에 큰 영향을 미치기 때문에, 과장된 주장은 부정적인 피드백을 초래할 수 있다. "완벽하게 모공 없이 완벽하게"와 같은 문구는 언어 유사성을 활용해 강조하고자 하는 의도는 있었지만, 중복된 표현과 과장된 느낌으로 인해 소비자에게 부정적인 인상을 줄 수 있다. 활용할 때는 메시지의 진정성과 간결성을 유지하는 것이 중요하다.

❖ **"완벽한 워시, 완벽한 원더! (Perfect Wash, Perfect Wonder)"**

언어 유사성 활용: "완벽한 워시, 완벽한 원더!"에서 '완벽한 워'와 '완벽한 원'은 '완'과 '워', '원'의 소리 반복을 통한 언어 유사성이다. 이런 표현은 세탁 제품이나 청소 장비의 효과를 강조하려는 의도로 사용된 것이다.

불분명한 주장: "완벽한 워시"와 "완벽한 원더"라는 표현은 제품의 세탁 능력이나 청소 효과를 강조하고자 하는 것으로 보이나, 구체적으로 어떤 효과나 기능을 의미하는지에 대한 명확한 정보가 없다.

메시지의 모호성: 강조와 주목을 끌어내려는 시도는 있으나, 메시지가 너무 모호하면 소비자는 구체적인 제품의 특징이나 장점을 파악하기 어려울 수 있다.

기대와 현실의 괴리: 제품을 구매한 후 "완벽한"이라는 주장에 비해 실

제 제품의 성능이나 효과가 기대 이하일 경우, 소비자는 불만을 느낄 수 있다."완벽한 워시, 완벽한 원더!" 같은 문구는 언어 유사성을 활용해 강조하려는 의도가 있으나, 주장이 너무 모호하거나 실제 제품의 효과와 주장 사이의 괴리가 클 경우 소비자의 신뢰를 잃을 위험이 있다. 두운기법을 사용할 때는 메시지의 명확성과 제품의 실제 성능이나 효과를 잘 반영해야 한다.

"판매 성공은 노련한 두운으로 노래한다."
토니 로빈스(Tony Robbins)

■ 두운 기법(Alliteration) 활용 방법 10가지

제품 특징 강조

제품의 주요 특징을 강조하는데 두운기법을 활용한다. 소비자의 주목을 끌며 정보의 기억력을 강화시키는데 도움이 된다.

예시: "뽀송뽀송한 피부" "Silky Smooth Skin"

브랜드명 혹은 제품명에 활용

브랜드나 제품의 이름에 두운기법을 활용한다. 기억하기 쉬운 이름으로 인지도를 증가시킨다.

예시: "코카콜라"(Coca-Cola), "최고의 수면을 위한 SoftSilk 시트."("SoftSilk Sheets for Supreme Sleep.")

광고 슬로건에서 활용

광고 메시지의 강조와 기억력 향상을 위해 두운기법을 사용하여 슬로건에 깊은 인상을 남긴다.

예시: "돈 들이지 말고 돌려받아!" "Buy Now, Benefit Big!", "문 앞까지 신선하고 패스트푸드가 배달됩니다."("Fresh and Fast Food Delivered to Your Doorstep.")

프로모션 이벤트 명에서 활용

이벤트의 특징이나 장점을 강조하기 위해 활용한다. 이벤트에 대한 호기심과 참여 의향을 증가시킨다.

예시: "봄맞이 빅 세일!" "Spring's Super Sale!", "심오한 프로젝트 관리의 3P."("The 3 P's of Profound Project Management.")

제품의 사용 방법 설명

제품 사용 시 주의점이나 장점을 설명할 때 두운기법을 활용한다. 사용 방법의 이해도와 기억력을 향상시킨다.

예시: "쉽게 스윽, 깔끔하게 클린!"

제품 포장 디자인에 활용

제품 포장의 문구나 디자인에서 두운기법을 활용한다. 소비자의 주목을 끌어 판매를 촉진한다.

예시: "풍부한 향, 퍼펙트 패키지!"

상품 설명에서 활용

상품의 특징이나 장점을 소개할 때 두운기법을 활용한다. 설명의 강조와 정보 전달력을 향상시킨다.

예시: "리얼한 로즈의 로맨틱함!" "Swipe Simply, Clean Completely!", "우리의 혁신적인 아이디어는 업계의 관심을 촉발한다."("Our Innovative Ideas Ignite Industry Interest.")

고객 서비스에서 활용

고객 서비스의 슬로건이나 모토에서 두운기법을 활용한다. 고객 서비스의 품질 강조와 신뢰도를 증가시킨다.

예시: "빠르게 반응, 바로 해결!" "Respond Rapidly, Resolve Rightly!"

시즌이나 테마에 맞춘 홍보에서 활용

특정 시즌이나 테마에 맞춰 두운기법을 활용한 홍보 문구 사용이다. 시즌이나 테마에 대한 관심과 연관성을 강조한다.

예시: "여름에 어울리는 옐로우 컬렉션!" "Summer's Suitable

Sunshine Collection!", *"오늘 무제한의 가능성을 열어보세요!"(*"Unlock Unlimited Possibilities Today!"*)*

소셜 미디어 포스팅에서 활용

소셜 미디어의 콘텐츠나 해시태그에서 두운기법을 활용하여 포스팅의 주목도를 증가시키고 공유 의지를 향상시킨다.

예시: "#월요일의_매력_만끽" "#MondayMoodMagic", "아침 루틴 마스터하기: 기상, 상쾌함, 활력 충전."("Master the Morning Routine: Rise, Refresh, Revitalize."*)*

"훌륭한 마케팅 담당자는 두운을 사용하여 영향력을 극대화한다."
세스 고딘(Tony Robbins)

☞ **두운법(Alliteration) 멘트**

"수익성 있는 성능의 제품": 제품의 신뢰성과 비용효율적 이점을 강조한다.

"성공을 위한 지속 가능한 솔루션": 긍정적인 결과를 약속하면서 환경 지속 가능성에 대한 강점을 강조한다.

"품질, 신속성, 기발함": 제품이 고품질이고 효율적일 뿐만 아니라 독창적인 것을 보여준다.

"장차 예산절감을 위한 환상적인 기능": 재정적 측면에서 미래에 긍정적인 영향을 미칠 것이라는 점을 제시한다.

"더 나은 비즈니스, 더 밝은 미래": 개선과 긍정적인 메시지를 전달한다

"신뢰할 수 있는 결과, 놀라운 효율": 제품의 신뢰성과 비용 효율성을 강조한다

"탁월한 서비스, 놀라운 판매효과": 탁월한 서비스가 탁월한 결과로 이어질 것임을 제안한다.

"최고의 성능, 최고의 제품": 제품의 우수성과 우월성을 강조한다.

"최대화, 이동성, 현대화": 향상, 이동성, 현대성을 암시하는 행동촉구 *(Call to Action)*로 구매전환율을 높인다.

"최첨단 장인 정신과 창의적인 컨셉": 제품 디자인 및 개발의 혁신과 독창성을 강조한다.

■ 요약

두운기법은 언어적 유사성으로 두운과 운율을 활용한 언어기법이다. 같은 소리들의 패턴으로 전달되어 의미와 감정을 풍성하게 전달한다. 문제의 리듬과 어조를 활용한 연상적인 표현기법이다.

두운 기법, 언어유사성, 운율, 수사적 기술, 문체의 리듬, 이야기 질감과 시적 품질

■ 적용 질문

두운기법이 무엇이며, 어떤 점에서 소통, 영업, 설득에서 효과적인가?
두운기법의 긍정적 효과와 부정적 효과는 무엇인가?
두운기법 10가지는 무엇이고 내가 활용해 볼 만한 부분은 무엇인가?

제 8 장

두려움 조성(Fear Mongering)

———————◆———————

"적절한 경각심은 결심에 이르게 하는 촉진제이다."
닥터 브라이언(Dr. Brian)

두려움 조성(Fear Mongering)

■ 개념

공포는 인간의 본능적이고[40] 강한 감정 중의 하나이며 위험과 대면하게 되면서 나타나는 감정이다. 일반적으로 인지된 위협을 증폭시키기 위해 경각심을 불러일으키는 언어, 극적인 표현으로 나타난다.

두려움 조성(fear mongering)은 곧 일어날 위험을 예고하고 두려움이나 불안을 이용해 특정[41] 행동을 취하거나 특정 결정을 내리도록 분위기를 조성하는 설득기술이다. 해로움이나 부정적인 결과로부터 자신을 보호하려는 사람들의 자연스러운 본능을 활용한다. 현실의 실질적인 위험요인, 잠재된 취약성을 강조하여 감정적 반응에 따라 사람들의 특정 행동이나 결심을 변화시키기[42] 위해 사용된다. 설득 및 판매의 맥락에서 두려움 조성에는 일반적으로 두려움이나 우려를 생성하거나 증폭시킨 다음 그러한 두려움을 완화하기 위한 수단으로 제품, 서비스 또는 솔루션을 제공하는 것이다.

두려움은 강력한 동기를[43] 부여하는 역할을 할 수 있지만, 두려움을 조장하므로 사실보다 감정을 강조하거나, 진실을 과장되게[44] 왜곡하거나

---

[40] "Fear and Loathing in the Media" by W. James Potter

[41] "Manufacturing Consent: The Political Economy of the Mass Media" by Edward S. Herman and Noam Chomsky

[42] "The Power of Fear: The Political Effectiveness of Emotion" by Robert C. Smith

[43] "Fear Appeal and Persuasion: An Integrative Review" by Kim Witte

[44] "The Culture of Fear: Why Americans Are Afraid of the Wrong Things" by Barry Glassner

거짓에 활용되지 않도록 윤리적[45] 기준의 중요성이 강조된다. 의도적인 감정 조작과 잘못된 정보의 유포는 신뢰를 훼손하고, 불필요한 분열, 관계를 양극화하며, 잘못된 정보로 인해 현명한 의사 결정을 방해할 수 있다. 정치[46]에서는 최악의 시나리오를 강조함으로써 특정 정책이나 후보자에 대한 여론을 형성하기 위해 대중의 공포심을 자극하는데 사용되기도 한다. 현대 사회의 공포 문화[47]로서 감시, 통제 메커니즘, 자유 침해를 합리화 하고 합법화 하기 위해 두려움이 활용되어 공포를 조장하기도 한다. 두려움이 행동과 사회적 규범을 형성하는데 있어서 윤리적인 기준[48]에 의해 긍정적 결과를 창출하는데 기여하기도 한다. 예컨대, 전염병에 대한 공포의 분위기로 인해 인도주의적 대응, 의료 시스템 및 국제 정책에 긍정적인 영향을 주기도 한다.

"인류의 가장 오래되고 가장 강한 감정은 두려움이며,
가장 오래되고 가장 강한 종류의 두려움은 미지에 대한 두려움이다."
H.P. 러브크래프트(H.P. Lovecraft)

---

[45] "Fear and Persuasion: Basic Research and Practical Implications" by Jeffrey W. Knopf
[46] "Fear and Politics" by Corey Robin
[47] "The Age of Fear: Risk, Paranoia, and the New Surveillance" by Frank Furedi
[48] "The Politics of Fear: Médecins sans Frontières and the West African Ebola Epidemic" by Michiel Hofman and Sokhieng Au

■ 핵심 요소

두려움 식별

두려움 조성은 상대의 기존 두려움이나 불안을 확인 하도록 하거나 확대시키는 것에서 시작된다. 건강 문제, 재정적 불안정, 사회적 거부감, 안전 문제 또는 기타 걱정의 원인에 대한 두려움일 수 있다.

공포의 증폭

일단 두려움이 확인되면, 종종 두려움을 증폭시켜 실제보다 더 현실적이고 심각한 것처럼 보이게 만든다. 두려움을 고조시키기 위해 극적인 통계, 생생한 이미지 또는 감성적 언어를 사용한다.

긴박감 조성

두려움을 조성하는 것은 종종 긴박감을 주어 인지된 위협을 완화하기 위해 신속하게 행동하도록 압박을 가한다. 이러한 긴급성은 즉각적이고 신속한 의사결정으로 이어질 수 있다.

솔루션 제시

공포와 긴박감을 심어준 후 확인된 공포를 해결하는 유일하거나 최선의 방법으로 제품, 서비스 또는 솔루션을 소개한다. 제시된 제안은 생명보호책이나 보호 수단이 된다.

감정적 분위기 조성

두려움 조성은 감정적 분위기를 동반한다. 불안, 걱정 또는 불안함을 느끼게 만들게 되면서 제시된 것을 선택하므로 이러한 부정적인 감정을 완화시킨다.

제한된 정보

공포를 조성하는 사람들은 잠재적인 단점이나 대안을 경시하거나 무시하면서 제시된 것을 선택하지 않음으로 도래할 부정적인 측면을 강조하면서 제한적이거나 편향된 정보를 제공하는 경우가 많다.

의존성 고취

끔찍한 결과를 피할 수 있는 유일한 방법으로 솔루션을 제시함으로써 두려움을 조장하는 것은 판매되는 제품이나 서비스에 대한 의존성을 키울 수 있다. 진정한 필요보다는 두려움에 의한 관계로 이어질 수 있다.

윤리적 우려

두려움을 조성하는 것은 심각한 윤리적 우려를 불러일으킬 수 있다. 잘못된 정보를 퍼뜨리거나 거짓으로 착취할 수도 있다. 장기적으로 신뢰를 약화시키고 브랜드 명성을 손상시킬 수 있다.

단기 이익, 장기 결과

두려움 조성은 즉각적인 구매를 강요함으로써 단기적인 결과를 가져올 수 있지만, 종종 구매자의 후회, 불신 또는 구매와 같은 장기적인 결과를 초래한다. 판매자의 명예가 손상될 수 있다.

의사결정에 미치는 영향

두려움을 조성하는 것은 옵션을 신중하게 고려하기보다는 공황이나 불안에 의해 결정을 내릴 수 있다. 합리적이고 정보에 입각한 선택을 하는 개인의 선택 기능을 손상시킬 수 있다.

시사점

두려움 조성(fear mongering)은 행동이나 결정을 내리기 위해 두려움과 불안을 이용하는 설득력 있는 기술이다. 단기적인 결과를 가져올 수 있지만, 윤리적 문제를 중시하지 않는다면 부정적인 장기적 결과를 초래할 수 있다. 윤리적인 설득과 판매 전략은 두려움을 이용하기보다는 정확한 정보를 제공하고 진정한 요구 사항을 해결하며 신뢰를 키우는 데 중점을 두어야 한다.

"두려움은 눈 앞에 늑대를 더 크게 만든다."
독일 속담(German Proverb)

■ 두려움 조성을 활용한 긍정적 사례

✦ 흡연 경고 캠페인

평소에는 공공 건강 캠페인에서 두려움 조장은 윤리적인 이유로 권장

되지 않지만, 일부 경우에는 두려움의 정도를 의도적으로 전달하여 실제 위기나 비상 상황에 대한 대중의 인식을 높이고 긍정적인 조치를 촉발시키는 데 사용된 사례가 있다. 이러한 경우는 두려움을 통해 인식을 높이고 패닉을 일으키지 않는 선에서 균형을 잡는 신중함이 필요하다. 흡연에 대한 공공 건강 캠페인에서 정부와 건강 단체는 담배 패키지에 실사 경고 라벨을 사용하여 흡연과 관련된 심각한 건강 리스크에 대해 흡연자에게 알리기 위해 노력하고 있다.

인식 제고

그래픽 실사 경고 라벨은 흡연의 유해한 결과, 예를 들어 질병에 걸린 폐 또는 손상된 건강 상태의 그래픽 이미지 등을 묘사한다. 이러한 이미지는 두려움을 불러일으키지만 흡연의 심각한 건강 리스크에 대한 인식을 높인다.

정보에 기반한 결정

흡연자에게 흡연의 잠재적인 건강 결과에 대한 명확한 정보를 제공함으로써 그들의 선택을 안내하려고 했다. 일부 개인들은 이러한 경고를 본 후 긍정적인 조치를 취하기로 결정하거나 흡연 중단을 위한 도움을 찾을 수 있었다.

흡연 억제

심각한 건강 결과를 두려워하는 사람들은 흡연을 중단하거나 줄일 수 있다. 예를 들어, 그래픽 경고를 보는 젊은 흡연자는 흡연을 억제할 가능성이 높아진다.

흡연 중단을 위한 지원

두려움 기반 캠페인은 종종 흡연 중단을 위한 자원에 대한 정보를 포함한다. 긍정적인 행동을 취하도록 돕기 위해 사용 가능한 자원에 대한 정보를 제공한다. 예를 들어, 상담전화, 지원 그룹 및 니코틴 대체 요법을 포함할 수 있다.

윤리적 고려

두려움을 전달하는 의도는 대중에게 흡연이라는 심각한 건강 리스크에 대해 알리고 긍정적인 행동을 촉진하기 위한 것이지만, 윤리적인 기준에 관련된 고려 사항이 있다. 이러한 기법이 자극적이거나 개인적인 자유를 침해한다는 주장도 있다.

장기적 효과

두려움 기반 캠페인의 장기적 효과는 논란의 여지가 있다. 일부 연구는 이러한 캠페인이 단기적으로 효과적일 수 있지만 시간이 지남에 따라 대중이 두려움을 불러일으키는 메시지에 민감도가 감소할 수 있다는 것을 지적한다.

심리적 영향

그래픽 이미지와 두려움 기반 메시지에 노출되면 일부 개인들은 불안, 스트레스 또는 부정적인 감정 반응을 보일 수 있다. 취약한 인구에게 미치는 심리적 영향을 고려하는 것이 중요하다.

시사점

의사소통 도구로서의 두려움 사용은 흡연이라는 심각한 건강 리스크에 대한 대중의 인식을 높이고 긍정적인 조치를 촉발시키기 위한 것이다. 그러나 이러한 캠페인은 인식을 높이고 두려움을 일으킬 가능성과 관련된 윤리적 고려 사항 및 대중에 미칠 수 있는 심리적 영향을 고려하는 것이 중요하다.

✧ 허리케인 경고

재난 대비에서는 불필요한 공포를 유발하지 않고 정확한 정보를 제공하는 것이 필수적이기 때문에 일반적으로 두려움을 조장하는 것보다 책임감 있는 의사소통이 선호된다. 그러나 어떤 경우에는 대중에게 실제 위기나 긴급 상황을 알리고 긍정적인 행동에 동기를 부여하기 위해 일정 수준의 두려움이나 긴급성이 사용된다. 허리케인이 발생하기 쉬운 지역에서 기상청은 긴급하고 때로는 경고적인 언어를 사용하여 대중에게 폭풍이 다가오고 있음을 경고한다.

즉각 대피

기상청이 강한 언어를 사용하여 허리케인 경고를 발령하고 치명적인 피해 가능성을 강조하면 주민들이 대피 명령을 진지하게 받아들이고 취약한 지역을 즉시 떠나도록 동기를 부여할 수 있다.

대비 조치

두렵거나 긴급한 메시지는 개인과 지역사회가 피난처 확보, 비상 물품 수집, 대피 계획 수립 등 즉각적인 대비 조치를 취하도록 유도할 수 있다.

심각성 인식

이러한 메시지는 대중이 임박한 재난의 심각성을 이해하고 안전을 우선시하고 안전 지침을 준수하도록 독려하는 데 도움이 될 수 있다.

사상자 감소

긴급한 의사소통을 통해 사람들이 대피하고, 피난처를 찾고, 기타 보호조치를 취하도록 유도하여 사상자를 줄일 수 있다.

의사소통 문제

어떤 경우에는 긴급함이 효과적일 수 있지만, 두려움에 기반한 메시지를 과도하게 사용하면 둔감함이나 안일함을 느낄 위험이 있다. 경고 메시지가 너무 많다고 느끼면 사람들은 경고에 덜 반응하게 될 수 있다.

심리적 영향

두려운 메시지는 특히 취약 계층에게 스트레스와 불안을 유발할 수 있다. 이러한 메시지를 받는 사람들의 심리적 안정감을 고려하는 것이 중요하다.

지역사회 대비

두려움을 기반으로 한 의사소통은 지역사회가 재해 대비 계획, 인프라 및 대응 능력을 개선하도록 동기를 부여할 수도 있다.

시사점

허리케인 경고에 두려움이나 긴급성을 사용하는 것은 대중에게 자연재
해의 임박한 위험을 알리고 잠재적으로 생명을 구할 수 있는 조치를
취하도록 동기를 부여하기 위한 것이다. 그러나 당국은 긴급성과 과도
한 패닉 방지 사이에서 균형을 유지하는 동시에 메시지가 정확한 최신
정보를 기반으로 하는지 확인하는 것이 중요하다. 책임 있는 재난 대
비 커뮤니케이션은 불필요한 두려움이나 혼란을 야기하지 않고 생명과
재산을 보호하는 것을 목표로 한다.

<hr>

"두려움은 마음이 허용하는 만큼만 깊다."
일본 속담(Japanese Proverb)

■ 두려움 조성을 악용한 부정적 사례

✦ 고압적 건강보조식품 판매(Misleading Health Supplement Sales)

한 회사는 온라인 및 소비자 직접 판매를 통해 건강보조식품과 비타민
을 판매했다. 고객이 제품을 구매하도록 설득하기 위해 공격적으로 두
려움을 조성했다.

과장된 건강 위협

회사의 마케팅 자료는 노화, 체중 증가, 피로 등 일반적인 건강 문제를 과장하여 일반적인 것보다 훨씬 더 심각하고 시급한 것처럼 보이게 했다.

오해의 소지가 있는 주장

회사는 자사의 보충제가 이러한 과장된 건강 문제에 대한 유일한 해결책이라는 근거 없는 주장을 했다. 자사 제품을 복용하지 않으면 건강에 심각한 결과를 초래할 수 있음을 암시했다.

기만적 언어

마케팅 자료에는 "당신은 위험에 처해 있다.", "당신의 건강은 위험에 처해 있다.", "너무 늦을 때까지 기다리지 마시오."와 같은 조작적인 언어가 사용되었다. 이러한 문구는 잠재 고객에게 두려움과 불안을 유발했다.

압박적 판매 전술

회사는 기간 한정 제안과 제품을 구매하지 않으면 고객의 건강에 심각한 결과를 초래할 수 있다는 점을 지속적으로 상기시키는 등 고압적 판매 전술을 사용했다.

고객 불신

많은 고객이 회사의 두려움 기반 전술에 의해 오해를 받고 조작되었다고 느꼈다. 이로 인해 회사와 제품에 대한 신뢰가 무너졌다.

고객 피해

일부 고객은 실제로 필요하지 않은 값비싼 보충제를 구입하여 재정적 손실을 입었다.

부정적인 리뷰 및 불만

만족하지 못한 고객은 부정적인 리뷰를 남기고 회사에 불만을 제기하여 회사의 평판을 손상시켰다.

법적 결과

회사는 허위 건강 주장과 기만적인 마케팅 관행에 가담하여 규제 기관으로부터 법적 조치를 받았다.

단기 이익, 장기 손실(소탐대실)

두려움에 기반한 전술은 단기 이익을 창출했을 수도 있지만 장기적으로는 회사의 신뢰도와 브랜드에 손상을 입혔다.

시사점

회사는 건강보조식품을 판매하기 위해 공포를 조장하는 비윤리적인 행위를 통해 고객의 불신, 일부의 금전적 손실, 법적 문제 및 평판 훼손을 초래했다. 이는 특히 건강 및 웰빙과 관련된 산업에서 판매 및 설득에 두려움 기반 전술을 사용할 때 발생할 수 있는 부정적인 결과를 예시한다.

"두려움은 잔인함 그 이상이다."

제임스 앤서니 프루드(James Anthony Froude)

✧ **홈 보안 시스템 판매(Home Security System Sales)**

〈공포 조장에 대한 부정적인 사용〉

과장된 범죄 통계

판매 담당자는 범죄 통계를 자주 인용하고 종종 과장하여 동네가 실제보다 훨씬 더 위험하다는 인상을 심어주었다.

감정적 조작

영업사원은 침입과 절도에 대한 최악의 시나리오를 설명하고 불안감을 고조시키기 위해 감정적 언어를 사용하여 주택 소유자의 두려움을 이용했다.

긴급성과 한시성 이용

두려움과 긴급성을 강화하기 위해 회사에서는 "기간 한정" 할인 및 설치 거래를 제안했는데, 이는 주택 소유자가 가족을 보호하기 위해 즉시 조치를 취해야 함을 암시했다.

취약한 인구에 대한 압박

때때로 안전에 대한 우려를 이용하기 위해 공포 전략을 사용하여 혼자사는 노인과 같은 취약한 인구를 표적으로 삼았다.

분개와 불신

많은 주택 소유자는 필요하지 않았을 수도 있는 값비싼 보안 시스템을 구매하도록 조종당하고 압력을 받았다고 느꼈다. 이는 회사에 대한 원망과 불신으로 이어졌다.

소비자 피해

공포 전술에 굴복한 일부 주택 소유자는 높은 보안 시스템 및 모니터링 서비스 비용으로 인해 재정적 부담을 겪게 되었다.

취소 및 환불

많은 고객이 정보에 입각한 선택이 아닌 두려움에 기초하여 결정을 내리도록 압력을 받았다는 사실을 깨닫고 취소 및 환불을 요청했다.

평판 훼손

회사의 공격적인 판매 전략과 두려움에 기반한 접근 방식으로 인해 평판이 손상되어 부정적인 리뷰와 불만의 입소문이 퍼졌다.

규제 조사

회사는 사기성 판매 관행에 대한 불만으로 인해 규제의 관심을 끌었으며 조사 및 잠재적인 법적 처벌로 이어졌다.

시사점

홈 보안 시스템 회사는 판매 시 공포 조장을 사용하여 고객 분노, 재정적 피해, 평판 손상 등 부정적인 결과를 초래했다. 이는 두려움 전술보다 정보에 입각한 의사 결정과 고객 신뢰를 우선시하는 윤리적 영업 관행의 중요성을 강조한다.

"두려움은 마음을 죽인다."
프랭크 허버트(Frank Herbert)

■ 두려움 조성이 활용되었던 성경 속 사례

✧ 노아의 방주와 대홍수(Noah's Ark and the Great Flood)

신성한 경고

하나님은 인류의 사악함과 부패를 주목하시고 지구를 새롭게 하기 위해 재앙적인 홍수를 보내기로 결정하셨다. 의로운 노아에게 임박한 재난에 대해 경고하시고 자신과 가족, 그리고 선택된 동물들을 구하기 위해 방주를 지으라고 지시하셨다.

방주 건축

노아는 방주의 크기와 방주에 태울 동물의 종류를 포함하여 방주를 만드는 방법에 대해 하나님으로부터 구체적인 지시를 받았다. 그러한 거대한 선박의 건조는 당시 사람들에게 이례적으로 보였고 의구심과 우려를 불러일으키기에 충분했다.

동물 모으기

노아는 홍수 동안 생존을 보장하기 위해 모든 종류의 동물 쌍을 모으는 임무를 받았다. 이는 신중한 준비와 노력이 필요했기 때문에 매우 어렵고 미완수에 대한 두려움을 불러일으키는 작업이었을 수 있다.

상승하는 물

홍수의 물이 상승하기 시작하면 방주에 타지 않은 사람들 사이에는 큰 두려움과 긴박감이 생겼다. 사람들은 자신의 집과 땅이 물에 잠겨 공황과 절망에 빠지는 것을 목격했다.

탈출 없음

대홍수 사건은 인류가 홍수를 피할 수 없는 심판이다. 피할 수 없는 홍수의 멸망은 큰 긴박감과 두려움을 불러일으켰다.

신의 심판

이 사건은 인류의 사악함과 불순종에 대한 하나님의 심판을 표징한다. 도덕적 부패와 불순종의 결과를 강조하고, 심판의 무서움을 보여준다.

회개와 의로움

노아는 의인이었고 하나님의 명령에 순종하는 사람이었다. 심판의 때라도 회개와 의로운 삶이 구원과 하나님의 은혜로 이어질 수 있음을 시사한다.

생존과 새롭게 함

방주는 지구 생명체의 생존과 새롭게 함의 수단을 나타낸다. 재난 이후의 구원과 새로운 출발의 가능성을 의미한다.

믿음과 순종

회의나 두려움에 직면하더라도 하나님을 믿는 믿음과 그분의 지시에 순종하는 것의 중요성을 강조한다. 하나님의 경고와 인도에 대한 노아의 흔들리지 않는 신뢰와 믿음이 모든 두려움을 이기게 했다.

언약

홍수가 그친 후, 하나님은 무지개로 상징된 노아와 언약을 세우시며 다시는 홍수로 땅을 멸하지 않겠다고 약속했다. 이 언약은 희망과 확신을 준다.

유산

노아와 대홍수 사건은 종교적 및 문화 서사에 지속적인 유산을 남겼다. 이는 죄와 불순종의 결과에 대한 경고의 예시가 되는 사건이다.

시사점

노아의 방주와 대홍수 이야기에는 두려움을 불러일으키는 무서운 사건이지만, 궁극적으로는 믿음, 순종, 하나님의 심판, 구원의 가능성에 대한 메시지를 전달하는 이야기이다. 다양한 도덕적, 신학적인 교훈을 강조하는 다양한 해석이 존재한다.

"내가 네게 명령한 것이 아니냐
강하고 담대하라 두려워하지 말며 놀라지 말라"
여호수아 1:9

✧ 요셉과 바로의 꿈(Joseph and Pharaoh's dream)

파라오의 불안한 꿈

이집트의 통치자 파라오는 그를 불안하게 만드는 두 가지 괴로운 꿈을 꾸었다. 꿈에서 건강한 소 일곱 마리가 쇠약하고 병든 일곱 마리의 소에게 잡아 먹히고, 이어서 건강한 일곱 이삭이 마르고 시든 일곱 이삭에게 먹히는 것을 본다.

해석을 구함

바로는 이 꿈으로 인해 몹시 괴로워하며 해석을 구했다. 그의 마술사와 현자들은 그를 만족시키는 설명을 제공할 수 없었다.

요셉의 해석

이전에 요셉과 함께 감옥에 갇혔던 술 맡은 관원장은 요셉의 꿈 해석 능력을 기억했다. 요셉은 바로 앞에 끌려가서 그 꿈을 하나님의 계시로 보았다. 애굽의 7년 풍년과 그 뒤를 잇는 7년 흉년에 대한 경고로 해석했다.

바로의 반응

바로는 요셉의 지혜와 분별력에 깊은 인상을 받았다. 하나님은 요셉을 애굽의 두 번째 사령관, 즉 총리로 임명하여 임박한 기근에 대비하는 일을 맡게 했다.

신성한 계시

신성한 계시에 대한 믿음과 하나님이 꿈과 환상을 통해 전달하신다는 것이다. 이는 사건을 해석할 때 영적인 차원을 인식하는 것의 중요성을 강조한다.

지혜와 해석

꿈을 해석하는 요셉의 역할은 지혜와 통찰력의 가치를 보여준다.사건의 의미를 분별하는 능력을 가진 개인이 위기 상황에서 중요한 역할을 할 수 있음을 시사한다.

고난에 대한 준비

이 꿈은 고난이 임박했음을 경고하는 역할을 하며, 풍족한 시기에는 준비의 중요성을 강조한다. 미래를 위한 신중한 계획과 대비를 강조한다.

요셉의 승진

요셉의 꿈 해석은 그를 큰 권위와 책임을 맡는 위치로 승진하게 했다. 위기의 상황에서 두려워하지 않고 자신의 은사를 현명하게 사용함으로 영향력 있고 리더십 있는 위치에 오를 수 있다는 것을 보여주었다.

예언의 성취

이야기의 후속 사건은 바로의 꿈의 성취와 요셉의 해석을 보여주며, 그 꿈이 예언적이며 하나님으로부터 영감을 받았다는 것을 증명했다.

자비로운 리더십

기근 동안 요셉의 리더십은 지혜와 연민이었다. 이집트가 7년 동안의 흉년을 잘 대비하고 식량이 공평하게 분배되도록 경영했다.

시사점

바로의 두려움으로 인해 요셉을 만나게 되고 새로운 기회를 창출했다. 위기의 상황에 처한 요셉은 두려움을 극복하면서, 신성한 의사소통, 지혜, 준비, 그리고 투옥된 위치에서 지도자의 위치로 등극하는 기회가 열렸다. 하나님의 경고는 두려운 예언이었으나 믿음의 사람 요셉은 한 나라를 살리고 총리가 되어 위대한 리더의 삶을 살았다.

"여호와는 나의 빛이요 나의 구원이시니 내가 누구를 두려워하리요"
시편 27:1

■ 두려움 조성을 긍정적이고 효과적으로 사용하는 10가지 방법

통계 및 데이터 제시

관련 통계 및 데이터를 활용하여 제품이나 서비스를 채택하지 않은 것과 관련된 결과나 잠재적 위험을 강조한다. 예를 들어 보안 솔루션의 필요성을 강조하기 위해 증가하는 범죄율을 보여준다.

기간 한정 혜택

기간 한정 거래나 할인을 제공하여 긴박감과 함께 활용한다. 결정을 늦추면 상당한 비용 절감 기회를 놓치게 되어 손실에 대한 두려움과 아쉬움이 생길 수 있음을 암시한다.

고객 사용후기

고객이 제품을 사용하기 전에 겪었던 문제와 제품이 고객의 우려를 완화하는 데 어떻게 도움이 되었는지 강조하는 사용후기를 공유한다. 그들의 두려움이 어떻게 해결되었는지 예를 들어 설명하는 것이다.

경쟁업체와의 비교

다른 대안의 선택에 따른 잠재적인 부정적인 결과에 초점을 맞춰 귀하의 제품을 경쟁사 제품과 비교해보자. 경쟁사 솔루션의 부족한 점이나 약점을 부각시킨다.

취약점 강조

고객의 현재 상황에서 취약점이나 약점을 파악하고 솔루션으로 제품을 제시해보자. 이러한 취약점을 해결하지 않을 경우 발생할 수 있는 결과를 강조한다.

기회를 놓쳤다는 아쉬움

고객이 즉각적인 조치를 취하지 않으면 놓칠 수 있는 잠재적인 기회나 이점을 강조한다. 성장이나 성공의 기회를 놓쳤을 때를 가정하여 강조해보자.

미래 예측

귀하의 제품이 없으면 상황이 악화될 수 있는 미래의 시나리오를 제시한다. 예를 들어, 제품을 채택하지 않을 경우 좋지 않아질 상황들에 대해 설명한다.

사회적 증거 및 FOMO

사회적 증거와 FOMO(Fear of Missing Out)를 사용하여 다른 사람들이 우리 제품으로 혜택을 받고 있음을 보여준다. 성공 사례를 보여주는 것은 뒤쳐지는 것에 대한 불편함을 유발한다.

교육 콘텐츠

상대가 인식하지 못할 수 있는 잠재적인 위험에 대해 교육하는 콘텐츠를 개발한다. 이러한 위험을 해결하는 솔루션을 제시하고 우리 제품을 해답으로 포지셔닝 해보자.

문제 해결 프레임워크

제품이 다루는 문제를 강조하는 명확한 문제 해결 프레임워크를 제시한다. 이러한 문제를 즉시 해결하지 않을 경우 발생할 수 있는 부정적인 결과를 설명한다.

시사점

두려움 기반 전략을 사용할 때 윤리적 고려 사항을 실천하고 제시된 정보가 정확하고 투명하다는 것을 확인하는 것이 중요하다. 책임감 있는 방식으로 두려움을 활용하면 신뢰성을 유지하면서 마음을 얻고 결심을 촉구하는 조치를 취할 수 있다.

"사랑 안에 두려움이 없고 온전한 사랑이 두려움을 내쫓나니"
요한일서 4:18

☞ **두려움 조성(Fear Mongering) 멘트**

"디지털 혁신에 뒤처지지 마세요. 소프트웨어로 경쟁력을 유지하세요."
이는 빠르게 변화하는 디지털 세상에서 뒤처질 수 있는 위험을 강조한

다.

"매년 수천 명의 사람들이 사이버 공격으로 데이터를 잃고 있습니다. 사이버 보안 솔루션이 여러분을 보호할 수 있습니다."
사이버 위협의 위험성과 제공되는 보호 기능을 강조한다.

"심장마비 발생 시 대응이 1분만 지연되어도 생존 확률이 낮아집니다. 의료 경보 시스템은 여러분의 생명의 은인이 될 수 있습니다."
적시적 의료 지원의 중요성에 중점을 둔다.

"시장 폭락 시에는 준비되지 않은 포트폴리오가 가장 큰 피해를 입습니다. 이번 재무 계획은 여러분의 투자를 보호할 수 있습니다."
시장 변동에 따른 위험에 대해 경고한다.

"보안 시스템이 없는 주택은 침입할 가능성이 3배 더 높습니다. 저희와 함께 집을 안전하게 보호하세요."
보안 시스템이 없는 주택의 취약성을 강조한다.

"교육 비용이 상승하고 있습니다. 자녀의 미래를 보장하기 위한 재정 패키지로 계획을 세우세요."
향후 교육 비용에 대한 우려를 해결한다.

"예상치 못한 법적 문제는 언제든지 발생할 수 있습니다. 당사의 법률 서비스를 통해 항상 대비할 수 있습니다."
법적 문제의 예측 불가능성을 강조한다.

"정기적인 유지보수를 받지 않으면 차량이 고장으로 인해 많은 비용이 발생할 위험이 있습니다. 저희 서비스 플랜은 이를 방지합니다."
차량 방치로 인한 잠재적인 재정적 부담의 가능성을 제기한다.

"불충분한 보험 보장은 질병 발생 시 재정적 재앙으로 이어질 수 있습니다. 올바른 플랜을 선택할 수 있도록 도와드리겠습니다."
불충분한 보험의 위험성을 강조한다.

"자연재해는 예측할 수 없습니다. 비상 키트는 위기 상황에서 생명줄이 될 수 있습니다."
예기치 못한 자연재해에 대비하는 데 중점을 둔다.

■ 요약

두려움 조성은 감정적 반응을 불러 행동이나 결심을 변화시킨다.
두려움은 강력한 동기를 부여하지만 사실과 진실에 기반해야 한다.
두려움이 조장되거나 왜곡되지 않도록 윤리적 기준이 중요하다.

■ 핵심키워드

두려움, 공포, 경각심, 긴박감, 강력한 동기, 윤리적 기준

■ 적용 질문

두려움 조성을 설득과 영업에 효과적으로 사용한 사례는 무엇인가?
두려움 조성을 진실과 사실에 기반한 윤리적 기준을 지켜 사용해야 하는 이유는 무엇인가?
두려움 조성을 효과적으로 활용할 수 있는 10가지 방법이 무엇이고 나에게 강화해야 할 요소는 무엇인가?

제 9 장

강한 어법(Loaded Language)

"단호함은 마음을 정하게 하는 활력소이다."
닥터 브라이언(Dr. Brian)

강한 어법(Loaded Language)

- **개념**

강한 어법(Loaded Language)는 특정 단어나 문구가 내포하는 강한 감정적 색채나 의미를 활용하는 것으로 부정적 또는 긍정적 의미가 강하게 포함된 언어나 표현을 통해 상대 또는 상황에 대한 감정적인 반응을 유발하고 인식에 영향을 주는 기법이다. 광고, 정치[49], 논설을 포함해 설득과 영업의 현장에서 효과적인 결과를 얻기 위해 사용된다. 언어 및 비언어를 통한 조작기술[50]의 형태로 상대의 행동에 인지적 편향[51]으로 작용하고 영향을 미치는 메커니즘을 불러일으킨다. 강한 어법은 프레이밍 기술[52]과 같은 맥락으로 구사되는데 부정적 편향이나 잠재적으로 부정적 결과를 일으키기도 한다.

———※◇※———

"유순한 대답은 분노를 쉬게 하여도
과격한 말은 노를 격동하느니라."
잠언 15:1

---

[49] "The Power of Words in Political Speech: Verbal Categories and Persuasion Strategies" by Anne Maass, Chiara Volpato, and Jolanda Jetten (2007)
[50] "Language in Thought and Action" by S.I. Hayakawa and Alan R. Hayakawa
[51] "Language and Manipulation: Using Psychological Techniques for Persuasion" by Steven R. Smith (2008)
[52] "Manufacturing Consent: The Political Economy of the Mass Media" by Edward S. Herman and Noam Chomsky (1988)

대체로 강한 감정적 의미를 내포한 단어나 표현을 사용한다 보니 상황에 따라 더욱 긍정적이거나 더욱 부정적일 수 있다. 예를 들면, "귀찮다" 대신 "짜증나다"와 같이, "불쾌" 대신 "고통스럽다"와 같이, "나쁘다" 대신 "극악한"과 같이 형태이다. 예컨대, 정치권[53]에서 많이 사용하는 형태로, 특정 인물, 정당 또는 집단에 대해, "악당", "범죄자", "배신자"와 같은 단어들이 사용되어 부정적인 인상을 강하게 인식시킨다. 광고의 경우, 상품이나 서비스를 강조하는 동시에 경쟁 업체를 비하하는 언어를 사용하는데, "최고의"와 같은 단어를 사용하여 상품이나 서비스를 강조하고, "매우 불편한"과 같은 단어를 사용하여 경쟁 업체를 비하한다.

"말의 힘은 얼마나 심도 있게
사람들의 감정을 자극하는지에 있다."
로버트 그린 (Robert Greene)

■ 핵심 요소

감정의 활용: Loaded Language는 주로 사람들의 감정을 활용하여 특정 주제나 아이디어에 대한 강한 반응을 유도하고자 할 때 사용된다.

---

[53] "Framing Public Life: Perspectives on Media and Our Understanding of the Social World" by Stephen D. Reese, Oscar H. Gandy Jr., and August E. Grant (2001)

긍정적 & 부정적 언어: 부정적 또는 긍정적 의미를 담은 언어가 모두 포함되며, 그 의도와 문맥에 따라 다양하게 사용될 수 있다.

편향된 정보 제공: 영업과 설득의 맥락에서 Loaded Language는 종종 고객에게 특정 정보나 관점을 강조하거나 숨기기 위해 사용된다.

의사결정 영향: Loaded Language는 수신자의 의사결정에 큰 영향을 줄 수 있다. 그것은 감정적 반응을 유도하여 사람들이 논리적이지 않은 결정을 내릴 수 있게 만든다.

비평적 사고 필요성: Loaded Language를 인식하는 능력은 매우 중요하다. 편향된 정보나 광고 전략이 되지 않도록 해야 한다.

효과적인 설득 도구: Loaded Language는 고객의 결정을 크게 영향을 줄 수 있으므로, 영업인이나 마케터는 이를 효과적으로 활용할 수 있어야 한다.

부정적 반응의 위험성: 과도하게 사용될 경우, Loaded Language는 고객에게 부정적인 반응을 유발할 수 있다. 따라서 적절하게, 그리고 투명하게 사용하는 것이 중요하다.

고객과의 신뢰 관계: Loaded Language를 사용할 때는 항상 고객의 관점에서 생각해야 한다. 오해의 소지가 있는 표현이나 과장된 정보 제공은 고객과의 신뢰 관계를 손상시킬 수 있다.

시사점 : Loaded Language는 영업 및 설득에 있어 강력한 도구일 수 있다. 그러나 그것을 적절하게 활용하려면 그 의미와 영향을 정확히 이해하고, 고객의 반응과 요구에 민감하게 대응할 준비가 되어 있어야 한다.

> "사람들에게 원하는 것을 주는 것이 아니라,
> 원하도록 만드는 것이 중요하다."
> 헨리 포드 (Henry Ford)

■ 강한 어법(Loaded Language)을 활용한 긍정적 사례

✧ 화장품 회사의 주름 개선 크림 출시

한 화장품 회사가 주름 개선 크림을 새롭게 출시하려 했다. 이 제품의 특징은 특별한 천연 성분을 통해 피부 재생을 촉진하는 것이었다. 하지만 이미 시장에는 수많은 주름 개선 제품들이 존재했기 때문에, 어떻게 이 제품을 시장에서 독특하게 소개할지 고민이 되었다.

마케팅 팀은 제품의 특별한 천연 성분에 주목하여 "자연의 힘으로 주름을 지우다"라는 슬로건을 도입하기로 결정했다. 이 슬로건에는 '자연의 힘'이라는 Loaded Language가 포함되어 있어, 고객들에게 이 제품이 천연 성분으로 안전하고 효과적이라는 강력한 메시지를 전달하고자 했다.

제품 출시 후, 이 슬로건은 큰 호응을 얻었다. 고객들은 '자연의 힘'이라는 표현에 매력을 느끼며, 화학 성분을 원하지 않는 사람들 사이에서 특히 인기를 얻었다. 결과적으로, 이 화장품은 많은 판매량을 기록하게 되었다.

시사점

타깃 고객의 욕구 파악: 시장에 존재하는 타깃 고객의 욕구와 트렌드를 파악하고, 이에 맞는 Loaded Language를 사용하면 효과적인 마케팅이 가능하다.

차별화된 메시지 전달: '자연의 힘'이라는 단어를 통해 경쟁 제품들과의 차별화된 메시지를 전달할 수 있었고, 이는 제품의 판매 촉진에 큰 역할을 했다.

과장과 현실 사이의 균형: Loaded Language를 사용할 때는 그 표현이 제품의 실제 특성과 부합하는지 확인해야 한다. 고객의 실망을 초래하는 과장된 광고는 장기적으로 브랜드에 해로울 수 있다.

✦ 진공청소기 영업

A는 최근에 하이엔드 진공청소기를 판매하는 대표적인 회사에서 대면 영업직원으로 일하게 되었다. 그는 여러 집을 방문하여 직접 제품을 시연하며 판매를 진행했다.

한 번, 그는 일반적인 진공청소기보다 3배나 높은 가격의 진공청소기를 어떻게 팔아야 할지 고민하게 되었다. 이를 위해 A는 제품의 강력한 흡입력을 강조하기로 결정했다. 그는 "초강력 흡입으로 미세먼지까지 완벽 제거"라는 구호를 사용하면서 집의 각 구석구석에서 먼지와 알레르기 원인 물질들을 효과적으로 제거하는 모습을 직접 보여주었다.

또한, A는 제품의 필터에 대해서도 "초미세 필터로 숨겨진 미세먼지도 놓치지 않는다"라는 구호로 강조하며, 고객의 건강을 위한 필수 아이템임을 강조하였다.

그 결과, 여러 고객들은 진공청소기의 가격에도 불구하고 그 효능에 크게 인상을 받아 구매를 결정하였다.

시사점

감정적 연결의 중요성: 대면영업에서는 고객의 직접적인 반응을 볼 수 있기 때문에, 그들의 감정과 연결된 Loaded Language를 사용하는 것이 중요하다. A는 고객의 건강 걱정을 해소하기 위한 언어 선택으로 그들의 신뢰를 얻었다.

제품의 장점을 강조: 대면영업에서는 제품의 장점을 강조하며 이를 시연하는 것이 중요하다. A는 "초강력 흡입"과 "초미세 필터"라는 표현을 통해 제품의 특징을 강조하였다.

고객의 욕구와의 동질화: 고객의 실제 욕구와 제품의 장점을 연결 짓는 언어의 선택은 대면영업의 성공을 위해 필수적이다. A는 미세먼지 문제와 관련하여 고객의 건강에 대한 걱정을 해소하는 방향으로 영업하였다.

"선한 말은 꿀송이 같아서 마음에 달고 뼈에 양약이 되느니라"
잠언 16:24

✦ 스킨케어 브랜드 영업

A는 고급 스킨케어 브랜드에서 대면 영업직원으로 일하고 있었다. 어느 날, 대형 백화점에서 시연 행사를 진행하게 되었다. 그날 방문한 고객 중 한 여성은 나이로 인한 피부 노화에 대한 큰 걱정을 하고 있었으며, 다양한 브랜드의 안티에이징 제품을 사용해봤지만 만족하지 못했다고 했다.

이 기회에 그 제품의 핵심 성분인 '콜라겐 부스터'를 중심으로 설명하기 시작했다. "이 제품은 '콜라겐 부스터'가 함유되어 있어, 피부의 탄력을 '극대화'시키고 주름 형성을 '방지'합니다. 사용하면 '부드럽고 젊은' 피부를 경험하실 수 있다." 라며 설명했다.

'극대화', '방지', '부드럽고 젊은' 등의 Loaded Language는 고객의 피부 걱정에 대한 해결책을 제시하였다. 그 결과, 그 여성은 제품을 직접 사용해본 후 그 차이를 확연히 느끼며 바로 구매를 결정하였다.

시사점:

고객의 문제 해결: 고객의 피부 걱정을 바탕으로 Loaded Language를 사용하여 제품의 효능을 강조하였다. 이로써 고객의 문제를 해결해주는 제품임을 명확히 전달할 수 있었다.

강조의 중요성: '극대화', '방지', '부드럽고 젊은' 등의 단어는 제품의 특별한 효과를 강조하였으며, 이로써 고객에게 그 효과를 체감시켰다.

체험의 효과: Loaded Language만을 사용하는 것이 아니라 고객에게 제품을 직접 체험하게 함으로써 그 효과를 실질적으로 느끼게 하였다.

✧ 향수 브랜드 영업

A는 고급 향수 브랜드에서 대면 영업직원으로 일하며, 특별 이벤트를 위해 대형 백화점에 설치된 부스에서 고객들을 상대했었다. 그날 향수의 특별한 향과 그 뒤에 숨겨진 이야기를 소개하는 임무를 가지고 있었다.

한 젊은 여성이 부스에 다가왔다. 특별한 날을 위해 자신만의 독특하고 기억에 남는 향수를 찾고 있었다. 새로 출시된 향수를 소개하면서 "이 향수는 '숲 속의 휴식'이라는 컨셉으로 만들어졌다. '풍부하고 싱그러운' 나무의 향과 함께 '따스한 햇살' 아래에서 피어나는 꽃의 향이 조화를 이룹니다."라고 설명했다.

'숲 속의 휴식', '풍부하고 싱그러운', '따스한 햇살' 등의 Loaded Language를 사용하여 향수의 향을 시각적, 감각적으로 전달하려 했다. 그 결과, 그 여성은 설명을 듣는 내내 눈이 빛나며 향수를 시향했고, 그 독특한 향에 마음을 빼앗기게 되어 구매를 결정했다.

시사점

감각적 표현의 효과: 향수의 특징을 감각적으로 표현하는 Loaded Language를 사용하여 고객의 흥미를 끌었다. 이러한 표현은 고객에게 제품을 직접 경험하도록 유도하는 효과가 있다.

이야기의 중요성: 고객에게 제품의 뒤에 숨겨진 이야기나 컨셉을 소개함으로써, 제품에 대한 깊은 이해와 연결감을 형성시킬 수 있다.

체험과 설명의 조합: Loaded Language를 통한 설명과 함께 향수를 직접 시향시키는 체험의 기회를 제공함으로써, 고객의 구매 결정을 촉진하였다.

"사람들을 설득하는 가장 좋은 방법은
그들의 생각에 도달하는 것이다."
블레즈 파스칼 (Blaise Pascal)

■ 강한 어법(Loaded Language)을 활용한 부정적 사례

✦ 모바일 보호 필름

A는 모바일 기기 보호 필름을 판매하는 회사에서 대면 영업직원으로 일하며, 스마트폰 액세서리 매장에서 고객들에게 제품을 직접 소개하곤 했다. 어느 날, 고객에게 새로운 보호 필름을 소개하면서 "이 제품은 '초강력 방어' 기술이 적용되어 '어떠한 충격에도' 휴대폰 화면을 지켜준다."라며 강조하였다.

그 말을 들은 한 손님은 제품에 크게 호감을 보이며 즉시 구매를 결정했다. 그러나, 몇 일 후 그 고객이 다시 매장을 찾아왔다. 그는 실제로 핸드폰을 실수로 떨어트렸을 때 화면이 깨진 상태였다. 그는 A의 설명에 기대하고 제품을 사용했지만, '어떠한 충격에도'라는 표현 때문에 화면이 깨질 줄은 상상도 못했다며 실망감을 표현하였다.

시사점

과장된 표현의 위험성: Loaded Language는 강력한 표현으로 제품의 특징을 강조할 수 있지만, 과장된 표현을 사용할 경우 고객의 기대치와 실제 제품의 성능 사이에 괴리가 발생할 수 있다.

고객의 신뢰를 잃어버릴 위험: 고객의 기대를 충족시키지 못할 경우, 단순한 제품의 불만족을 넘어 회사나 브랜드 전체에 대한 신뢰를 잃게 될 수 있다.

✧ 천연성분 스킨케어

A는 천연 성분을 활용한 스킨케어 제품을 판매하는 회사에서 대면 영업직원으로 활동하고 있었다. 어느 날 한 백화점에서 이벤트를 진행하게 되었고, 다가오는 고객에게 제품을 열정적으로 소개했다.

A가 소개한 제품 중 하나는 "100% 천연 성분"을 강조하며, "화학 성분 '전혀' 포함되지 않았다"고 설명하였다. 이러한 설명을 듣고 한 여성 고객은 피부가 민감하여 화학 성분을 피해야 하는 상황이었기에 제품을 구매했다.

그러나 몇 일 후, 그 여성은 피부 발진이 생기는 사건이 발생했다. 병원에 가서 검사한 결과, A가 소개한 제품에 포함된 천연 성분 중 하나에 알레르기 반응을 보였던 것으로 밝혀졌다. 이에 A에게 상황을 알리며, "화학 성분이 없다고 해서 모든 사람에게 안전하다는 보장은 없다"며 불만을 표현하였다.

시사점

단순화된 표현의 함정: "100% 천연 성분"이라는 Loaded Language는 화학 성분이 없음을 강조하지만, 그렇다고 해서 모든 사람에게 안전하다는 것을 의미하지는 않는다. 천연 성분도 개인의 체질에 따라 알레르기 반응을 일으킬 수 있다.

정보의 왜곡: "화학 성분 '전혀' 포함되지 않았다"는 표현은 고객에게 제품이 완전히 안전하다는 오해를 줄 수 있다.

✧ 고성능 청소기 브랜드 영업

A는 고성능 청소기 브랜드에서 대면 영업직원으로 일하고 있었다. 어느 날 그는 고객에게 새롭게 출시된 청소기 모델을 소개하는 기회를 얻게 되었다. 이 청소기의 가장 큰 특징은 '고성능 필터'로, 미세먼지를 '100% 제거'한다는 것이었다.

한 가족이 A의 상품 설명을 들었다. 이 가족의 아이는 미세먼지 알레르기가 있어, 집 안의 공기 품질이 중요했다. "이 청소기는 고성능 필터로 미세먼지를 '100% 제거'하여 집안의 공기를 '청정하게' 유지해준다."라며 강조하였다.

그 가족은 크게 호응하며 청소기를 구매했다. 그러나, 몇 주 사용 후, 아이의 알레르기 증상이 개선되지 않았던 것이 아니라 더 악화되었다. 가족은 전문가에게 공기 질을 테스트해본 결과, 청소기가 광고한 것처럼 미세먼지를 100% 제거하지 않았던 것을 알게 되었다.

시사점

과장된 광고의 위험성: '100% 제거'라는 Loaded Language는 청소기의 성능을 과장하여 표현하였으나, 실제 성능과는 차이가 있었음을 보여준다.

제품의 기능과 실제 성능: 제품의 기능이나 성능을 광고할 때는 실제로 검증된 내용을 바탕으로 해야 한다. 고객의 기대를 저버리면 신뢰도 함께 잃게 된다.

"말과 행동이 하나가 되어야 한다."
마히트마 간디 (Mahatma Gandhi)

■ **강한 어법(Loaded Language)이 적용된 성경 속 사례**

✦ **아담과 이브의 유혹(창 3:1-6)**

아담과 이브의 유혹 이야기에서 뱀은 금지된 열매를 먹도록 이브를 조종하고 속이기 위해 과장된 언어를 사용했다. 뱀은 이브에게 "하나님께서는 정말로 모든 나무의 열매를 먹으면 안 된다고 하셨느냐?"라고 물어보았다. 이브는 "정원의 나무의 열매는 먹어도 좋지만, 정원 가운데에 있는 나무의 열매는 하나님께서 먹지 말라 하셨다. 먹거나 만지면 죽을 것이라 하셨죠."라고 답했다. 그러자 뱀은 "당신이 그 열매를 먹는다고 해서 반드시 죽는 것은 아니다."라며 반박한다. 뱀은 추가로 "하나님은 그것을 먹으면 그 날에 너희 눈이 뜨여 너희가 하나님처럼 선악을 알게 되기를 원하지 않는다는 것을 아시기 때문이다."라며 말했다. 이브는 뱀의 말에 혹하게 되고, 그 나무의 열매가 먹기에 좋고, 눈에도 아름답게 보이며, 지혜롭게 할 것 같아 그 열매를 딴 뒤 먹고, 아담에게도 주어 먹게 했다.

강한 어법(Loaded Language) : 뱀은 하나님의 명령에 의문을 제기하고 그분의 의도에 의심을 던짐으로써 교묘한 언어를 사용했다. 뱀은 하와에게 "하나님이 참으로 동산 모든 나무의 실과를 먹지 말라 하시더냐"라고 물었다.

기만적인 책략: 뱀은 하나님께서 하와에게 뭔가 가치 있는 것을 보류하고 계시다는 것을 암시함으로써 하와를 속이기 위해 과장된 언어를 사용했다. 뱀은 또한 그들이 금지된 열매를 먹으면 "하나님과 같이" 될 것이라고 말했다.

이브의 응답: 강한 언어는 이브의 호기심을 자극하고 그녀로 하여금 하나님의 명령을 의심하게 만든다. 그녀는 뱀의 말을 고려하기 시작하고 금지된 열매를 탐스러운 것으로 여겼다.

결과: 이브는 뱀의 조종에 굴복하여 금지된 열매를 먹었다. 그녀는 또한 그것을 먹은 후 아담에게도 약간을 주었다. 그들의 행동의 결과로 아담과 이브의 불순종은 에덴동산에서의 목가적인 삶을 잃는 것을 포함하여 그들 자신과 모든 인류에게 결과를 가져왔다.

"무릇 더러운 말은 너희 입 밖에도 내지 말고 오직 덕을 세우는데
소용되는 대로 선한 말을 하여 듣는 자들에게 유익을 끼치게 하라."
에베소서 4:29

■ 강한 어법(Loaded Language) 활용 10가지 방법

긍정적인 프레이밍 : 성공, 행복, 성취와 관련된 감정을 불러일으키는 긍정적인 단어와 문구를 사용한다. 예를 들어, "평균적인 결과"라고 말하는 대신 "놀라운 결과"를 사용하면 더 매력적인 분위기를 만들 수 있다.

혜택 강조 : 가치와 개선을 전달하는 표현을 사용하여 제품이나 서비스의 이점과 장점에 중점을 둔다. 고객의 삶이나 비즈니스에 어떻게 긍정적인 영향을 미칠 수 있는지 강조한다.

비교 사용 : 비교 언어를 사용하여 다른 제품보다 제품의 우수성을 강조한다. 두 개 이상의 대상을 비교하여 하나의 대상의 우위나 특징을 강조하는 것이다. 부정적인 정보나 상황을 긍정적인 방향으로 해석하거나 표현하는 것도 좋다. "경쟁사보다 뛰어난 성능을 발휘합니다" 또는 "탁월한 품질","다른 제품들과는 '차원이 다른' 성능을 자랑합니다!" "이 제품은 '무첨가'입니다!" 대신 "이 제품은 화학 첨가물이 없습니다."

긴급성 조성 : 즉각적인 조치를 취하도록 시간에 긴급함을 유발한다. 무언가가 한정적이거나 드물다는 것을 강조하여 그 가치나 중요성을 부각시키는 것이다. "이 기회는 '한번뿐'입니다. 놓치지 마세요!""한시적

제안", '한정된 시간' 동안만 특별 할인가!"와 같은 표현은 긴박감을 자극하여 더 빠른 결정을 내리도록 동기를 부여될 수 있다.

배타성과 권위 강조: 독점성 또는 한정 그룹에 속함을 암시하는 언어를 사용한다. '단독 한정판' 또는 '선택된 소수를 위한'과 같은 문구는 고객이 특별하고 가치 있는 존재라는 느낌을 갖게 할 수 있다. 특정 제품, 서비스 또는 제안의 가치나 신뢰도를 강조하기 위해 권위 있는 대상이나 전문가의 의견을 인용하는 것도 효과적이다. "이 제품은 전문가들에게도 '인정받은' 최고의 선택입니다!"

감정에 호소 : 감정과 개인적 가치를 활용하는 언어를 만든다. 스토리텔링과 공감할 수 있는 일화는 공감대를 형성하고 의사결정에 영향을 미칠 수 있다.

두려움과 우려 사항을 해결 : 안심시키는 언어를 사용하면서 잠재적인 우려 사항과 반대 의견을 직접 해결한다. 공감을 표현하고 걱정을 완화하는 솔루션을 제공한다.

파워 워드 사용 : "혁명적", "비할 데 없는" 또는 "변혁적"과 같이 주의를 끄는 강력하고 설득력 있는 단어를 포함한다. 더욱 명확한 이미지나 정보를 제공하기 위해 구체적인 표현을 사용하는 것이다. "이 책은 당신의 인생을 '바꿀' 것입니다!"

열망 불러오기 : 고객의 열망 및 목표에 부합하는 언어를 사용한다. 감정적 반응을 유도하기 위해 강한 뉘앙스의 단어를 선택하여 사용한다. "이 제품은 '혁명적'입니다!" 대신 "이 제품은 혁신적 기능을 가지고 있습니다."

행동 촉구 : 고객이 원하는 결과를 얻을 수 있도록 행동 촉구에 단호

한 언어를 사용한다. 고객의 관심을 끌거나 특정 주제에 대한 생각을 유도하기 위해 질문 형태로 표현하는 것도 효과적이다. "차이를 경험해 보세요", "지금 '바로' 구매하세요!" "당신도 '완벽한' 피부를 원하지 않나요?"와 같은 문구는 행동에 동기를 부여할 수 있다.

"너희 말을 항상 은혜롭게 하여 소금으로 고르게 함같이 하라
그리하면 각 사람에게 마땅히 대답할 것을 알리라."
골로새서 4:6

☞ 강한 어법(Loaded Language) 멘트

"우리의 혁신적인 제품은 업계의 판도를 바꾸고 다른 사람들이 따라야 할 새로운 표준을 제시합니다."
'혁명적'과 '게임 체인저'는 상당한 영향력을 시사한다.

"경쟁사가 따라올 수 없는 프리미엄 서비스가 제공하는 비교할 수 없는 편안함과 고급스러움을 경험하세요."
'비교할 수 없는 편안함'과 '럭셔리'는 특별함을 연상시킨다.

"이 최첨단 기술은 효율성과 신뢰성을 선도하는 혁신의 신호등입니다."
'최첨단'과 '혁신의 등대'는 진보적이고 선도적인 자질을 암시한다.

"최첨단 솔루션으로 이미 비즈니스를 혁신한 엘리트 대열에 합류하세요."

'엘리트'와 '최첨단'은 우월성과 높은 지위를 암시한다.

"우리의 획기적인 접근 방식은 빠른 성장과 지속 가능성을 원하는 기업에게 생명줄과도 같습니다."
'획기적'과 '생명선'은 중요하고 선구적 에너지를 강조한다.

"일생에 단 한 번뿐인 이 기회를 포착하여 비즈니스를 성공과 번영의 영역으로 끌어올리세요."
'일생에 단 한 번'과 '성공과 번영'은 긴급하고 의미 있는 발전을 촉구한다.

"친환경적이고 혁신적인 제품으로 미래를 포용하여 더 친환경적인 지구를 만드는 데 앞장서세요."
'미래를 포용한다'와 '선도한다'는 미래지향적인 사고와 리더십을 강조한다.

"이 독점 혜택은 경쟁업체가 꿈꿀 수 없는 탁월한 효율성과 생산성을 향한 관문입니다."
'독점'과 '관문'은 놓칠 수 없는 특별한 기회를 암시한다.

"전담 팀이 프리미엄 서비스를 제공하여 처음부터 끝까지 탁월한 고객 경험이 보장됩니다."
'프리미엄 서비스'는 탁월한 관리와 고품질 서비스를 의미한다.

"이 획기적인 도구를 활용하여 업계 표준을 재정의하는 선구자 커뮤니티에 가입하세요."
'선구자 커뮤니티'와 '획기적'이라는 단어는 이 제품이 혁신적이고 시대를 앞서가는 제품이라는 것을 의미한다.

■ **요약**

강한 어법은 강한 감정적 색채나 의미를 활용해 감정적인 반응을 유발하는 기법이다.

언어 및 비언어를 통한 조작기술의 형태로 인지적 편향으로 작용한다.

프레이밍 기술과 같은 맥락으로 부정적 결과를 일으키지 않도록 해야한다.

■ **핵심키워드**

강한 어법, 감정적 반응, 긍정적 프레이밍 기술, 긴급성 강조, 배타성과 권위, 감정에 호소, 파워워드, 열망 불러오기, 행동촉구

■ **적용 질문**

강한 어법이 영업과 설득에서 가지는 핵심 특징은 무엇인가?

강한 어법으로 기대할 수 있는 효과와 주의해야 할 요소는 무엇인가?

강한 어법을 활용하는 10가지 방법이 무엇이고 나에게 강화되어야 할 요소는 무엇인가?

제 **10** 장

가치동인(Value Drivers)
'설득포인트 찾기'

———◇———

"설득의 시작은 고객의 핵심 가치동인을 찾는 것 부터이다."
닥터 브라이언(Dr. Brian)

가치동인(Value Drivers)
'설득포인트 찾기'

■ 개념

설득포인트는 핵심가치[54], 가치동인, 핵심동력, 설득요인이라고 하기도 한다. 마음을 움직이고 설득하기 위해 결정적으로 영향을 미치는 핵심 요소에 초점을 맞추어 전략적으로 접근하는 기법이다. 고객에게 가장 관련성이 높고 매력적인 제품 또는 서비스의 측면을 식별해내고 이 부분을 강조한다. 고객의 욕구와 그 우선순위는 다양하다는 이해를 바탕으로 하여 핵심 설득포인트를 압축해 동의와 공감을 이끌어내는 기법이다. 해당 고객마다 가슴을 뛰게 하는 핵심요인[55]이 있다. 받게 될 제품이나 서비스로부터 받게 될 무언가 즉 인지된 핵심요인을 기반으로 구매결정을 내리는 것이다. 인지되고 내재된 핵심가치는 외부로 드러나기도 하고 숨겨져 있기도 하다. 그러니 일률적인 접근방식으로 그 베일을 벗기고 파악해내기란 어렵다. 다양한 욕구가 있고 천천히 조심스럽게 핵심요인을 찾기 위해 고객 고유의 욕구와 구매동기를 터치하면서 전략적 가치프레임워크[56]를 통해 접근하고 파악해 낼 필요가 있다.

---

[54] "Creating and Delivering Value in Marketing" Adrian Payne and Pennie Frow (2005)
[55] "Customer Value Propositions in Business Markets" James C. Anderson, James A. Narus, and Wouter van Rossum (2006)
[56] "Customer Value: The Next Source for Competitive Advantage" Bradley T. Gale (1994)

■ 기본원칙

고객중심접근

모든 판매원칙은 제품이나 서비스나 기능도 아니고 고객 자체를 중심에 두어야 한다. 기술과 서비스의 우수성에 함몰되지 않도록 한다. 판매접근 절차나 전략도 고객이 중심이 되어 고객의 생각, 선호도, 욕구, 구매패턴 등을 통해 핵심구매포인트와 동력이 무엇인지 파악해내는 것이다.

핵심 설득요인 제시

기술이나 서비스 혹은 어떤 요인이 고객의 마음을 움직이는 실질적이고 구체적인 요인인지 파악하면, 그 포인트를 기반으로 그 고객에 적합한 제시를 [57]해야 한다. 어느 한 기술 때문에 구매를 결정할 수 도 있고, 특정 디자인이나 서비스절차가 될 수도 있다.

욕구분석

설득요소를 파악하고 제시하기 전에 고객의 욕구를 면밀하고 철저히 분석하는 것이 중요하다. 적절한 질문을 하고 고객의 응답을 적극적으로 경청하고 다시 되묻고 [58]하는 과정을 통해 고민하는 부분, 요구사항 등 핵심설득요소를 포착해 낼 수 있다.

---

[57] "Value Proposition Design: How to Create Products and Services Customers Want" by Alexander Osterwalder, Yves Pigneur, Gregory Bernarda, and Alan Smith

[58] "The Lean Startup: How Today's Entrepreneurs Use Continuous Innovation to Create Radically Successful Businesses" by Eric Ries

맞춤화

핵심 설득포인트를 일회적으로 제시하는 것도 좋지만 핵심요인에 맞춤화가 된 홍보전략이 이루어져야 한다. 한번 파악된 설득요인은 가변적일 수도 있기 때문에 맞춤화되어 구사하는 홍보전략도 변화무쌍 해야한다.

■ 기대 요인

더 높은 설득 성공률

과녁 중에서도 가장 중앙에 맞추는 것이다. 핵심 설득요인을 공략하므로 가렵고 아픈 부분을 해결하므로 설득을 완수하고 거래를 성공으로 마무리할 가능성을 높일 수 있다. 고객은 자신의 요구사항이나 욕구에 부합하고 명확하게 일치될 때 구매가능성이 높아진다.

고객만족도 증가

핵심가치요인으로 고객이 자신의 요구사항이 충족되었다고 느끼기 때문에 구매 만족도는 높아진다. 높은 만족도는 충성도에 긍정적인 영향을 주고 재구매나 추천으로 이어질 수 있다.

장기적인 관계

나를 이해하고 안다는 자체가 깊은 인상과 신뢰를 주며 긍정적 관계를 촉진시킨다. 고객이 자신의 최선의 이익을 얻고 있다고 느낄 때 보다 오랫동안 누리고 싶어하고 장기적으로 관계로 이어지도록 한다.

경쟁 우위

고객의 핵심요구사항을 이해하고 해결하는데 탁월한 영업인과 기업은 경쟁우위[59]에 있다. 고객과의 탄탄한 충성관계는 그 어떤 진입장벽보다 강력하다.

효과적인 의사소통

한번 형성된 신뢰관계 위에 소통은 훨씬 부드럽고 물 흐르듯 원활하다. 기본적인 소통이 적극적으로 경청하고 공감하고 모든 소통의 중심이 고객욕구에 있으므로 더욱 그러하다.

"마케팅의 목표는 고객을 잘 알고 이해하여
고객에게 맞는 제품이나 서비스를 만들어 판매하는 것이며,
제품이 스스로 팔리도록 하는 것이다."
피터 드러커(Peter Drucker)

---

[59] "Blue Ocean Strategy: How to Create Uncontested Market Space and Make Competition Irrelevant" by W. Chan Kim and Renée Mauborgne

■ 가치 동인 적용 예시

✧ 전자제품 매장에 고객이 새 스마트폰을 사려고 온 상황

대화

고객의 선호도와 요구사항을 파악하기 위해 고객과 대화를 시작한다. 가벼운 대화로 시작해 개방형 질문을 통해 현재 휴대폰에 대한 정보, 기존 사용 시 사용패턴, 선호하는 기능이나 디자인, 불편했던 것 그리고 새 기기에서 고려하고 원하는 것이 무엇인지 확인한다.

핵심요인 식별

고객의 응답을 기반으로 여러 핵심가치 중에 가장 중요한 요인을 포착해낸다. 한 두 번의 질의와 소통으로 파악이 안 되는 경우도 간혹 있다. 오히려 좁혀진 범위에서 예상되는 요인들을 제시해보면서 보다 구체적으로 접근이 가능할 수 있다.

카메라품질 : 고객이 사진 촬영을 좋아하고 특히 인스타그램을 한다거나 고화질 사진을 중요하게 생각하는 경우
배터리 수명 : 바쁜 일상으로 인해 하루 종일 지속적으로 휴대폰 사용이 필요한 경우
성능 : 게임이나 기타 기술적인 작업을 휴대폰으로 사용하는 경우
가격[60] : 특정 예산안에서 고려하는 경우 그 범위 내에서 찾는 경우
브랜드 충성도 : 특정 스마트폰 브랜드에 대한 선호도가 있는 경우

---

[60] "Value-Based Pricing: Drive Sales and Boost Your Bottom Line by Creating, Communicating and Capturing Customer Value" by Harry Macdivitt and Mike Wilkinson

영업 접근 전략

고객이 카메라 품질을 우선시 한다면, 고해상도 렌즈, 저조도 성능, 다양한 촬영 모드, 편집기능 등 스마트폰의 첨단 카메라 기능을 강조해본다. 배터리 수명이 중요한 경우 휴대전화의 오래 지속되는 배터리와 급속 충전기능을 강조한다. 성능을 중시한다면, 스마트폰의 강력한 프로세서와 그래픽 처리기능을 강조한다. 가격의 한계가 있다면, 예산 친화적인 옵션이나 진행중인 프로모션이나 할인을 집중한다. 특정브랜드에 충성도가 높은 경우, 해당 브랜드 제품군내 생태계 호환성, 지원과 사후관리 등 해당 브랜드의 이점과 장점을 강조한다.

입증 자료 및 사례 제시

제품사양, 고객리뷰, 데모 등의 입증 가능한 자료와 함께 제시한다. 구체적으로 핵심설득요인이 고객에게 어떻게 충족하고 부합하는지 보여주고 만져지도록 돕는다

우려사항 극복(거절처리)

고객이 가질 수 있는 우려사항이나 질의, 반대급부 등을 미리 준비해둔다. 예컨대, 가격에 대한 우려를 표명하는 경우, 할부 옵션이나 보상판매프로그램을 제사하여 가격이슈를 해결하고 거절할 수 없는 제안으로 변모시킨다.

클로징

핵심가치요인에 맞춰 효과적으로 제시하고 거절처리를 완료한 후 결정을 요청해보자.'이 스마트폰이 고객에게 적합해 보이네요 어떠세요?'

―――――――◦◇◦―――――――

> "가치 동인은 고객중심으로 이루어져야 한다.
> 무언가를 하는 것보다 고객을 위해 무엇을 하느냐가 중요하다."
>
> 리사 스톤(Lisa Stone)

■ **가치동인 대표적 사례**

✧ **Apple의 Steve Jobs와 iPhone 출시**

2007년 1월 어느 화창한 날, 스티브 잡스는 세상을 바꿀 제품을 공개하기 위해 샌프란시스코 모스콘 센터 무대에 섰다. 당시의 부피가 큰 스마트폰과는 전혀 닮지 않은 검정색의 아담한 기기를 손에 들고 있었다. 프레젠테이션을 시작하면서 잡스는 애플 성공의 핵심이라고 믿었던 가치 동인(Value Drivers)을 강조했다.

잡스는 Apple이 항상 집중해 온 세 가지 핵심 가치 동인, 즉 혁신, 디자인, 생태계를 강조하면서 시작했다.

혁신

스티브 잡스는 진정한 획기적인 제품을 만들기 위해서는 Apple이 점진적인 개선을 넘어서는 방식으로 혁신해야 한다는 점을 인식했다. iPhone이 어떻게 진화해왔는지, iPod 및 인터넷 기반 기기들을 하나의 완벽한 단일 플랫폼으로 결합한 수년간의 연구 개발의 결과인지 설

설득술 고급기법 208

명했다. Apple은 멀티 터치 스크린과 새로운 운영 체제인 iOS를 포함한 최첨단 기술에 막대한 투자를 하여 iPhone을 경쟁사와 차별화시켰다.

디자인

잡스는 디자인에 대한 남다른 애착으로 유명했으며 미학과 사용자 편의의 중요성을 강조했다. iPhone을 들고 사용된 소재부터 버튼 배치까지 디자인의 모든 측면이 얼마나 세심하게 고려되었는지 설명했다. 디자인은 제품의 외관뿐만 아니라 작동 방식에 관한 것이며 Apple을 차별화하는 중요한 가치 동인이라고 주장했다.

생태계

iPhone을 중심으로 포괄적인 생태계를 통합화하는 것에 대해 중요하다고 인식했다.이 장치가 iTunes 및 App Store와 같은 Apple의 다른 제품 및 서비스와 어떻게 원활하게 통합되는지 설명했다. 이러한 생태계는 아이폰을 단순한 휴대폰이 아닌 다양한 애플리케이션과 콘텐츠를 위한 플랫폼으로 만들어 고객에 대한 가치를 더욱 높였다.

Jobs는 이러한 가치 동인이 고객을 위한 실질적인 혜택으로 어떻게 전환되는지 보여주었다. 터치 인터페이스, 시각적 음성 메일, Safari 웹 브라우저 등 iPhone의 혁신적인 기능을 선보였다. 아이폰이 단순한 휴대폰이 아니라 사람들이 살고, 일하고, 서로 연결되는 방식을 변화시킬 수 있는 기기임을 강조했다. 이러한 가치 동인이 Apple의 제품 개발 접근 방식의 핵심이라는 점을 반복하여 프레젠테이션을 마무리했다. 혁신과 디자인에 집중하고 견고한 생태계를 구축함으로써 Apple이 고객의 요구를 충족할 뿐만 아니라 고객의 기대를 뛰어넘는 제품을 만들 수 있다고 믿었다.

시사점

아이폰의 출시는 엄청난 성공을 거두었고, 이는 곧 문화가 되었다. 가치 동인에 대한 스티브 잡스의 강조는 Apple이 혁신적인 제품을 만드는 데 도움이 되었을 뿐만 아니라 기업이 기술 산업에서 가치를 창출할 수 있는 방법에 대한 기준을 설정했다. 아이폰의 성공은 기능에만 국한되지 않았다. 고객에게 최대의 가치를 제공하기 위해 이러한 기능을 어떻게 신중하게 제작했는지에 대한 것이었으며, 이는 현재까지 제품 개발에 계속 영향을 미치는 교훈이었다.

✧ Toyota의 하이브리드 기술 추진

2000년대 초반, 토요타는 자동차 산업에 혁명을 일으킬 잠재력을 지닌 하이브리드 전기 자동차인 2세대 토요타 프리우스(Toyota Prius) 출시를 준비하고 있었다. Toyota 전략의 중심에는 가치 동인의 통합이 있었다.

환경적 책임

Toyota는 환경에 대한 관심이 전 세계적으로 소비자에게 점점 더 중요해지고 있음을 인식했다. 친환경 차량에 대한 수요 증가에 맞춰 하이브리드 기술을 조정할 수 있는 기회를 보았다. 이를 통해 고객의 요구를 충족할 뿐만 아니라 지속 가능한 모빌리티 분야의 선두주자로 자리매김하는 것을 목표로 삼았다.

연료 효율성

연료 효율성은 Toyota의 중요한 가치 동인이었다. 소비자들이 연료 소비와 운영 비용을 줄일 수 있는 방법을 찾고 있다는 것을 알고 있었다. 프리우스는 이러한 측면에서 탁월하도록 설계되어 기존 가솔린 구동 자동차에 비해 훨씬 더 나은 연비를 제공한다.

기술 혁신

혁신은 Toyota 접근 방식의 특징이었다. 가솔린 엔진과 전기 모터를 완벽하게 결합한 첨단 하이브리드 기술 개발에 많은 투자를 했다. 배기가스 및 연료 소비를 줄이는 것뿐만 아니라 독특한 운전 경험을 제공하기 위한 것이었다.

비용 절감

Toyota의 또 다른 중요한 가치 동인은 비용 절감 가능성이었다. 하이브리드 기술이 처음에는 개발 비용이 많이 들지만 생산이 확대됨에 따라 더욱 비용 효율적이 될 수 있다는 것을 이해했다. 이를 통해 하이브리드 자동차를 경쟁력 있는 가격으로 제공할 수 있게 되어 더 다양한 고객이 접근할 수 있게 된다.

Prius가 대중에게 공개되면서 Toyota가 이러한 가치 동인을 강조하는 것이 분명해졌다.

환경에 대한 책임

Toyota는 Prius를 환경적으로 책임 있는 선택으로 선정하여 낮은 배기가스 배출과 탄소 배출량 감소를 강조했다. 지속 가능성에 대한 약속을 분명히 밝혔다.

연료 효율성

프리우스의 획기적인 연료 효율성은 핵심 판매 포인트다. 인상적인 주행거리 수치를 선보이며 주유비를 절약하려는 소비자의 관심을 끌었다.

기술 혁신

토요타는 프리우스를 구동하는 하이브리드 기술을 강조했다. 프리우스를 최첨단 차량으로 강조하면서 시스템 작동 방식과 그 특장점에 대해 소비자에게 인식시켰다.

비용 절감

시간이 지남에 따라 Toyota는 하이브리드 구성 요소의 생산 비용을 줄이기 위해 부지런히 노력하여 유사한 기능을 갖춘 기존 차량에 비해 합리적인 가격으로 Prius를 제공할 수 있었다.

시사점

Value Drivers에 대한 이러한 전략적 강조의 결과로 Toyota Prius는 일본뿐만 아니라 전 세계적으로 큰 성공을 거두었다. 하이브리드 기술의 대명사가 되었으며, 친환경 자동차의 기준을 세웠다. 올바른 가치 동인을 식별하고 통합함으로써 Toyota와 같은 기업은 고객 요구 사항을 충족할 뿐만 아니라 혁신을 주도하고 사회적 가치에 부합하며 업계 리더로 자리매김할 수 있는 제품을 만들 수 있다. 프리우스의 성공은 자동차 산업을 형성하고 소비자 선호도에 영향을 미치는 이러한 가치 동인의 힘을 입증하는 역할을 한다.

✧ Dove의 "Real Beauty" 캠페인

Dove의 "Real Beauty" 캠페인은 브랜드 이미지를 재구성하고 더 깊은 수준에서 소비자와 연결하기 위해 Value Drivers 개념이 어떻게 적용되었는지 보여주는 주목할만한 예이다. 2000년대 초반, 유니 레버(Unilever) 산하에 있는 브랜드 도브(Dove)는 '리얼 뷰티(Real Beauty)' 캠페인을 시작했다. 이 캠페인은 광고 업계에 널리 퍼져 있는 기존의 아름다움 기준에 도전하고 아름다움에 대한 보다 포용적이고 진실하며 긍정적인 인식을 장려하는 것을 목표로 했다.

진정성

Dove가 이 캠페인에서 채택한 핵심 가치 동인 중 하나는 진정성이었다. 많은 뷰티 광고가 종종 비현실적이고 고도로 포토샵 처리된 모델 이미지를 묘사하여 여성들 사이에 부정적인 자아상을 형성할 수 있다는 점을 인식했다. 이에 대응하여 캠페인의 일환으로 실제 일반여성고객을 대상으로 했다. 다양한 체형, 크기, 연령의 여성들을 초대하여 사진 촬영에 참여했다. 이 여성들은 전문 모델이 아닌 일반인들이었으며, 그들의 사진은 수정되지 않은 채 도브의 광고에 사용되었다. 이러한 접근 방식은 진정성과 진정한 아름다움에 대한 Dove의 철학과 가치를 강조했다.

자존감과 역량 강화

Dove의 캠페인은 또한 여성의 자존감과 역량 강화에 중점을 두었다. 여성과 소녀들이 자신감을 키우고 사회적 아름다움의 규범을 재정의 하도록 돕기 위해 학교와 지역사회에서 워크숍과 교육 프로그램을 시작했다. 이러한 더 깊은 감정적, 심리적 요구를 해결함으로써 Dove는 보다 의미 있는 수준에서 소비자와 소통하고 참여시켰다.

사회적 책임

사회적 책임이라는 가치 동인은 Dove의 캠페인에서 중요한 역할을 했다. 비현실적인 미용 기준이 사회에 미치는 영향에 대한 인식을 높이고 광고에 대한 보다 책임감 있는 접근 방식을 장려하려고 노력했다. 신체 이미지와 자기 가치에 관한 토론에 적극적으로 참여하여 더 넓은 사회적 대화가 이루어지도록 노력했다.

소비자 참여

Dove는 소비자가 캠페인을 통해 개인적인 이야기와 경험을 공유하도록 장려했다. 여성들이 아름다움, 자존감, 신체 긍정성에 대한 자신의 견해를 토론할 수 있는 플랫폼을 만들었다. 이러한 참여를 통해 Dove는 고객의 의견을 경청할 뿐만 아니라 아름다움을 재정의하는 대화에 고객을 참여시킬 수 있었다.

시사점

가치 동인에 대한 전략적 강조의 결과로 Dove의 "Real Beauty" 캠페인은 상당한 성공을 거두었다. 소비자들이 진정성과 긍정적인 메시지에 대한 브랜드의 헌신을 높이 평가하면서 Dove의 매출이 크게 증가했다. 이 캠페인은 광범위한 언론 보도와 찬사를 받았으며, 수익 그 이상을 고려하는 브랜드로서 Dove의 입지를 강화했다. "리얼 뷰티(Real Beauty)" 캠페인은 신체 이미지와 미용 기준에 대한 더 큰 사회적 대화를 촉발하여 해당 분야에 대한 인식과 지지가 높아졌다. 자존감 프로젝트를 통해 자존감과 권한 부여를 촉진하려는 Dove의 지속적인 노력은 이러한 가치 동인에 대한 브랜드의 장기적인 헌신을 보여주었다. 결론적으로 Dove의 "Real Beauty" 캠페인은 진정성, 자존감, 사회적 책임, 소비자 참여와 같은 가치 동인을 전략적으로 사용하여 브랜드 이미지를 재구성하고 소비자와 강력한 정서적 관계를 구축할 수 있는 방법을 보여주었다. 더 깊은 가치와 사회적 관심에 부응함으로써 Dove는 시장 점유율을 높였을 뿐만 아니라 아름다움과 자기 가치에 대한 더 넓은 담론에 긍정적으로 기여했다. 캠페인은 기업이 올바른 가치 동인의 우선순위를 지정하여 의미 있고 지속적인 영향력을 창출할 수 있는 방법에 대한 강력한 사례 연구 역할을 한다.

───────◆───────

"사람들은 논리적인 이유로 구매하지 않고
감정적인 이유로 구매한다."
지그 지글러(Zig Ziglar)

■ 가치동인 부정적 사례

✧ 담배업계 부정적 광고(Tobacco Industry and Misleading Advertising)

조 카멜 캠페인(Joe Camel Campaign)(R.J. 레이놀즈)

1980년대 후반과 1990년대 초반, R.J. 주요 담배 회사인 Reynolds는 자사의 Camel 브랜드 담배를 홍보하기 위해 "Joe Camel" 광고 캠페인을 도입했다. 이 캠페인에는 만화 캐릭터인 조 카멜(Joe Camel)이 등장했는데, 이 캐릭터는 어린이와 청소년에게 어필한다는 비판을 받았다. 여기서 암시하는 바는 조작된 가치 동인으로 흡연이 건강에 미치는 영향을 무시한 채 브랜드 이미지와 젊은 층에 대한 호소하려고

한 것이다.

말보로 맨(필립 모리스)Marlboro Man (Philip Morris)

말보로 담배 제조사인 필립 모리스는 "말보로 맨"을 주인공으로 하는 오랫동안 광고 캠페인을 진행했다. 거친 카우보이 이미지는 남성다움과 흡연에 대한 모험심을 조성하기 위해 사용되었다. 이 캠페인은 건강 위험을 경시하면서 흡연을 자립성 및 야외 활동 방식과 연관시키는 것을 목표로 했다.

건강 및 안전 무시

담배 업계는 오해를 불러일으키는 광고를 통해 가치 동인을 조작함으로써 흡연과 관련된 심각한 건강 위험을 효과적으로 경시하거나 무시했다. 브랜딩과 호소력 있는 이미지에 초점을 맞춤으로써 담배 사용이 폐암, 심장병, 호흡기 질환 등 예방 가능한 질병의 주요 원인이라는 사실을 모호하게 만들었다.

청소년의 매력

"Joe Camel"과 같은 많은 담배 광고 캠페인은 젊은 소비자의 관심을 끌기 위해 고안되었다. 이는 새로운 세대를 흡연의 위험에 노출시켰을 뿐만 아니라 평생 고객을 창출하기도 했다. 중독과 건강 문제를 지속화하는데 기여했기 때문에 공중 보건에 대한 영향은 부정적이었다.

규제 회피

담배 업계는 담배 마케팅에 대한 규제 및 법적 제한의 영향을 회피하거나 최소화하기 위해 오해의 소지가 있는 광고를 자주 사용했다. 라이프스타일이나 브랜드 이미지와 같은 특정 가치 동인을 강조함으로써 공중 보건 조치를 우회하면서 시장 점유율과 이익을 유지하는 것을 목표로 했다.

정보에 근거한 선택의 부족

오해를 불러일으키는 광고는 소비자가 자신의 건강에 대해 정보를 바탕으로 선택하는 능력을 손상시켰다. 건강 정보보다 화려함, 자립심 또는 세련미와 같은 가치 동인이 홍보될 때 개인은 담배 제품 사용으로 인해 발생하는 위험을 완전히 이해하지 못할 가능성이 높았다.

시사점

담배 업계가 오해를 불러일으키는 광고에 가치 동인을 적용한 것은 공중 보건에 심각한 결과를 가져왔다. 건강 문제보다 브랜드 이미지, 청소년 매력, 라이프스타일 연관성을 우선시함으로써 심각한 건강 위기를 지속시키는 데 기여했다. 이러한 전술은 소비자를 오도했을 뿐만 아니라 윤리적, 규제적 우려를 불러일으켰고 결과적으로 많은 국가에서 담배 광고 및 포장 경고에 대한 규제가 더욱 엄격해졌다.

"듣기는 속히 하고 말하기는 더디 하며 성내기도 더디 하라."
야고보서 1:19

✧ 폭스바겐 배기가스 스캔들(The Volkswagen emissions scandal)

"디젤게이트"라고도 알려진 폭스바겐 배기가스 스캔들은 가치 동인이라는 개념이 기업 환경에서 어떻게 부정적으로 적용될 수 있는지에 대한 사례이다.

배출가스 부정 행위 소프트웨어

Volkswagen(VW)은 VW Jetta 및 Passat와 같은 인기 모델은 물론 Audi 및 Porsche 차량을 포함한 디젤 차량에 소프트웨어 프로그램을 설치했다. 이 소프트웨어는 자동차가 배기가스 배출 테스트를 받는 시기를 감지하고 엔진 성능을 조정하여 질소산화물(NOx) 배기가스를 법적 수준으로 줄이도록 설계되었다. 그러나 정상적인 주행 조건에서는 배출가스 제어 기능이 비활성화되어 차량이 유해한 대기 오염 물질인 NOx를 상당히 높은 수준으로 배출하게 되었다.

거짓 환경 주장

VW는 디젤 차량을 "청정 디젤"이라고 마케팅하고 환경 친화적이라고 주장하면서 가치 동인으로서 낮은 배출을 강조했다. 이 주장을 사용하여 환경에 관심이 있는 소비자에게 어필하고 연료 효율성과 배출가스 감소를 주요 판매 포인트로 강조했다.

글로벌 영향
이 스캔들은 광범위한 영향을 미쳤다. 전 세계적으로 약 1,100만 대의 차량에 영향을 미쳤으며 리콜, 소송 및 VW 주가의 급격한 하락으로 이어졌다. 자동차 산업 전체의 평판에도 손상을 입혔다.

소비자 기만

환경적 책임, 낮은 배출과 같은 가치 동인의 조작으로 인해 광범위한 소비자 기만이 발생했다. 폭스바겐 디젤 차량 구매자들은 자신들이 보다 환경 친화적인 선택을 하고 있다고 믿었지만 실제로는 더 높은 수준의 대기 오염에 기여하고 있었다.

환경 피해

가치 동인의 부정적인 적용은 환경 지속 가능성 목표와 직접적으로 모순된다. 배기가스 테스트를 부정하고 과도한 오염 물질을 대기로 방출함으로써 VW의 행동은 대기 오염에 기여했으며 이는 건강과 환경에 심각한 영향을 미친다.

신뢰 상실

이 스캔들은 폭스바겐뿐만 아니라 자동차 산업 전체에 대한 신뢰를 약화시켰다. 소비자와 규제 기관은 배출가스 및 환경적 책임에 대한 자동차 제조업체의 주장의 신뢰성에 의문을 제기하여 조사가 강화되고 규제가 더욱 엄격해졌다.

법적 및 재정적 결과

VW는 이번 스캔들로 인해 심각한 법적, 재정적 결과를 겪었다. 그들은 합의금, 벌금, 차량 환매 등으로 수십억 달러를 지불했다. 이는 재무 성과와 평판에 상당한 영향을 미쳤다.

윤리적 및 규제적 우려

배출 스캔들은 기업의 책임과 투명성에 대한 윤리적 우려를 불러일으켰다. 또한 더 엄격한 배출 테스트 및 보고 요구 사항을 포함하여 향후 유사한 사기 행위를 방지하기 위한 규제 변경을 촉발했다.

시사점

폭스바겐 배기가스 스캔들은 단기 이익을 위해 환경적 책임, 배기가스 감소와 같은 가치 동인을 조작하는 것이 어떻게 심각하고 광범위한 부정적인 결과를 초래할 수 있는지를 보여주는 극명한 예이다. 이 스캔들은 VW의 명성을 훼손하고 환경에 해를 끼치며 재정적, 법적으로 상당한 영향을 미쳤다. 이는 특히 소비자의 공감을 불러일으키는 가치를 홍보할 때 비즈니스의 윤리적 관행과 투명성을 유지하는 것의 중요성에 대한 경고의 역할을 한다.

"유순한 대답은 분노를 쉽게 하여도 과격한 말은 노를 격동하느니라."
잠언 15:1

✧ 엘리자베스 홈즈 테라노스 스캔들(The Theranos scandal involving Elizabeth Holmes)

엘리자베스 홈즈(Elizabeth Holmes)와 관련된 테라노스(Theranos) 스캔들은 비윤리적인 비즈니스 관행 및 사기와 관련된 개념이 어떻게 부정적으로 적용되었는지 보여주는 놀라운 예를 제공한다.

허위 기술 주장

Elizabeth Holmes는 Theranos가 손가락 끝에서 채취한 혈액 몇 방울을 사용하여 광범위한 의료 테스트를 수행할 수 있는 획기적인 기술을 개발했다고 주장했다. 이 기술은 의료 분야의 혁명적인 발전으로 제시되어 빠르고 정확한 결과를 약속했다. 그러나 현실적으로 테라노스의 기술은 신뢰성이 낮았고, 부정확한 결과를 낳는 경우가 많았다.

기만적인 마케팅

Theranos는 자사 기술을 투자자, 의료 서비스 제공자 및 대중에게 공격적으로 마케팅하여 의료 산업을 혼란에 빠뜨릴 수 있는 잠재력을 강조했다. 혁신의 매력과 향상된 환자 치료에 대한 약속을 전략적으로 활용하여 상당한 투자와 파트너십을 유치했다.

투명성 부족

테라노스 내부에는 비밀 유지 및 비공개 계약 문화가 있었다. 직원들은 회사의 기술에 대해 논의하거나 그 효율성에 대한 우려를 제기하는 것을 꺼려했다. 이러한 투명성 부족은 외부 이해 관계자에게까지 확대되어 누구도 테라노스의 주장을 면밀히 조사하기 어렵게 만들었다.

규제 기관에 대한 허위 정보

Holmes와 기타 Theranos 경영진은 기술 승인을 얻기 위해 FDA를 포함한 규제 기관에 잘못된 정보를 제공했다. 회사가 많은 테스트에 그들이 주장했던 독점 기술 대신 전통적인 실험실 장비를 사용하고 있다는 사실을 공개하지 않았다.

환자 안전

테라노스 기술의 부정적인 적용은 환자를 위험에 빠뜨렸다. 부정확한 검사 결과는 오진, 잘못된 치료, 치료 지연으로 이어질 수 있었다. 환자 안전이 항상 최우선 과제인 의료 산업에서 윤리와 투명성의 중요하다.

투자자 손실

저명한 개인 및 조직을 포함한 투자자들은 거짓 약속과 기만적인 마케팅을 바탕으로 Theranos에 수백만 달러를 쏟아 부었다. 회사의 기술과 관행에 대한 진실이 밝혀졌을 때, 이들 투자자들은 상당한 금전적 손실을 입었다.

혁신에 대한 피해

Theranos 스캔들은 헬스케어 스타트업과 해당 분야의 혁신에 대한 신뢰를 손상시켰다. 이로 인해 투자자와 규제 기관은 새로운 의료 기술을 지지하고 승인하는 데 더욱 주의를 기울이게 되었고, 잠재적으로 진정한 발전을 늦추게 되었다.

법적 결과

Elizabeth Holmes와 전 Theranos 사장 Ramesh "Sunny" Balwani 는 Theranos에서의 행동과 관련하여 사기 및 음모를 포함한 형사 고발을 받았다. 법적 절차는 사업상의 비윤리적 행동이 가져올 심각한 결과를 강조했다.

평판 손상

Theranos 스캔들은 Elizabeth Holmes뿐만 아니라 더 광범위한 생명공학 및 의료 산업의 명성을 손상시켰다. 윤리적 행동, 투명성 및 엄격한 감독의 필요성을 극명하게 일깨워주었다.

규제 변경

Theranos 사례로 인해 의료 테스트 및 생명공학 부문에 대한 조사가 강화되고 규제가 더욱 엄격해졌다. FDA와 같은 규제 기관은 새로운 의료 기술을 평가하고 승인하는 데 더욱 주의를 기울이게 되었다.

시사점

테라노스 스캔들과 엘리자베스 홈즈의 행동은 속임수 및 비윤리적 관행과 관련된 개념의 오용이 의료 및 비즈니스에 어떻게 심각한 결과를 초래할 수 있는지를 보여준다. 환자 안전에 해를 끼치고 재정적 손실을 초래했으며 향후 유사한 사고를 예방하기 위한 규제 변경을 촉발했다. 이 사례는 모든 산업, 특히 공중 보건 및 복지와 관련된 산업에서 윤리, 투명성 및 책임의 중요성을 일깨워주는 경고 사례이다.

"당신이 고객을 돌보지 않으면 경쟁자가 할 것이다."
밥 후이

■ 가치동인 성경 속 사례

✧ 오병이어 기적 마태복음 14장 13-21절

이 이야기에서 예수님과 제자들은 그분의 가르침을 듣기 위해 모인 많은 군중을 만난다. 저녁이 다가오자 제자들은 멀리 떨어진 곳에 있기 때문에 군중이 배고픈 것에 대해 우려를 표명한다. 그러나 예수께서는 제자들에게 그들이 가지고 있는 음식을 가져오라고 지시하시며, 결과적으로 빵 다섯 개와 물고기 두 마리만 가져왔다. 그런 다음 예수께서는 이 빈약한 오병이어를 축복하시고 빵을 떼어 기적적으로 늘려서 남자와 여자와 어린이를 포함하여 5,000명의 무리 전체를 먹이시고 남은 음식을 많이 먹게 하셨다.

긍휼과 배려

이 이야기는 타인에 대한 동정심과 배려의 가치 동인을 강조한다. 예수의 행동은 그분의 말씀을 듣기 위해 모인 사람들의 배고픔에 대한 그분의 깊은 관심을 보여준다. 그는 단지 그들을 가르치는 것이 아니라 그들이 먹을 것을 충분히 보장하면서 즉각적인 필요 사항을 해결하는 것의 중요성을 강조한다.

풍성함과 관대함

빵과 물고기를 늘리는 예수님의 능력은 풍요의 개념을 상징한다. 자원이 제한되어 있는 것처럼 보일 때에도 관대함과 나눔의 행동이 풍요를 가져올 수 있다는 점을 가르쳐준다. 이 개념은 단순한 물질적 부를 초월하여 하나님의 은혜와 공급의 영적 풍성함을 의미한다.

필수적 필요 충족

배고픔과 같은 필수 필요 충족의 중요성을 강조한다. 영적인 가르침도 중요하지만, 즉각적인 육신의 필요 사항을 해결하는 것도 연민의 행위이다. 이는 가치 동인이 자신의 즉각적인 목표를 넘어 다른 사람에게까지 확장해야 한다는 점을 강조한다.

신앙과 기적

기적적인 결과를 달성하는 데 있어서 신앙과 믿음의 역할을 강조한다. 예수의 제자들은 처음에 자신들의 빈약한 식량으로 많은 사람을 먹일 수 있을지 의심했다. 그러나 예수께서는 한계에 직면하더라도 믿음이 놀라운 결과를 가져올 수 있음을 보여 주셨다.

나눔에 대한 교훈

나눔과 헌신의 중요성에 대한 강력한 교훈을 제공한다. 작은 점심을 제공한 이의 가장 작은 기여라도 다른 사람의 유익을 위해 사용되면 얼마나 큰 영향을 미칠 수 있는지를 보여주는 예이다.

시사점

예수님의 5,000명을 먹이신 이야기는 긍휼, 풍요, 필수 요구 사항 충족, 신앙 및 나눔과 관련된 가치 동인의 적용을 보여준다. 이는 사랑과 공감에 뿌리를 둔 가치를 바탕으로 다른 사람을 돌보고, 즉각적인 필요 사항을 해결하며, 기적을 일으킨다는 메시지를 전달한다.

"너희 말을 항상 은혜 가운데서 소금으로 맛을 냄과 같이 하라
그리하면 각 사람에게 마땅히 대답할 것을 알리라."

골로새서 4:6

■ 가치동인 활용하는 10가지 방법

고객 중심 접근

대상 고객의 고민점을 이해하고 제품이나 서비스가 어떻게 고유의 문제를 해결하는 가치인지 보여주고 관련하여 맞춤화하여 보여주고 제공한다. 고객 중심 접근은 개인적이고 친밀한 공감대를 형성하며 관련성과 공감을 강화시킨다. Amazon의 브라우징 기록을 기반으로 한 맞춤형 상품 추천이 그 예시이다.

스토리텔링

실제 사례나 사례 연구를 사용해 제품이 다른 사람에게 이야기를 공유하면서 가치의 실제 적용을 보여주고 어떻게 긍정적인 영향을 미쳤는지 전달하는 것이다. 스토리텔링은 결정을 좌우하는 핵심 감정들을 움직이고 받을 혜택들에 대해 깊은 관련성을 느끼게 한다. Nike의 운동선수들의 여정과 성취를 다룬 캠페인이 그 예이다.

데이터를 바탕으로 한 제시

구체적인 데이터와 통계자료로 가치를 뒷받침한다. 숫자는 신뢰성을 부여하며 제품이나 서비스가 제공할 수 있는 구체적인 효과를 생생하

게 보여준다. 데이터기반제안은 신뢰성을 높이고 효과를 생동감 있게 증빙한다. Apple이 iPhone 카메라 사양을 경쟁사와 비교하는 것이 그 예이다.

명확한 커뮤니케이션

제품의 독특한 고유의 기능과 장점을 명확하게 전달한다. 경쟁사와 어떻게 다른 지와 어떻게 고객의 특정 고민점을 충족시키는지 강조한다. 명확한 소통은 혼동을 잠재우고 차별화를 시킨다. Google의 검색을 강조하는 간결하고 명확한 홈페이지가 그 예이다.

시범

실시간 시범행사나 무료 평가판, 무료버전, 무료시식을 제공함으로 제품을 실제로 보여주는 것이다. 이러한 실제 경험을 통해 잠재 고객들이 제품의 가치를 시각화할 수 있고 오감으로 경험하게 한다. Tesla의 전기 자동차를 시범 운전하는 것이 그 예이다.

추천 및 리뷰

만족한 고객의 긍정적인 피드백과 리뷰, 그리고 고객추천을 공유하는 것이다. 사회적 증거는 제품의 가치를 강화하고 신뢰를 쌓는데 도움이 되고 싶은 신뢰를 구축하게 한다. 호텔에 대한 여행자 리뷰를 다양하게 이야기와 평점으로 공유하는 TripAdvisor가 그 예이다.

제한된 기간의 제안

한시적 특가 거래나 할인을 제공하여 시급성의 분위기를 조성하는 것이다. 긴박감은 더 빠른 결정을 촉진하며 지불해야 할 투하금액에 대한 절약에 호소하게 한다. 제한된 시간 할인으로 이어지는 블랙 프라이데이 판매 이벤트가 그 예이다.

개인화

개인화 기법을 사용하여 고객의 선호도에 맞추어 콘텐츠를 제공하는 것이다. 선호도에 맞추어진 개인화로 고객들이 이해 받는 느낌을 받게 하고 충성도를 유지하게 한다. 음악 기록을 기반으로 한 Spotify의 맞춤형 재생 목록이 그 예이다.

교육적 콘텐츠

블로그 글, 비디오 또는 웨비나와 같은 가치 있는 콘텐츠를 제공하여 산업 동향과 지식에 대한 정보를 전달한다. 양질의 콘텐츠는 권위 있는 전문가로 인식하게 하고 전문성의 가치를 보여주며, 신뢰의 관계를 견고하게 한다. 마케팅 팁과 동향을 다루는 HubSpot의 블로그가 그 예이다.

보증

고객들의 인식되고 예측된 위험을 줄이기 위해 환불 보증과 같은 보증을 제공한다. 보증은 제품이나 서비스가 제공하는 가치에 대한 신뢰를 높이고 강화시킨다. 신발에 대한 무사고 반품 정책을 갖춘 Zappos가 그 예이다.

"가장 불만이 많은 고객은 가장 큰 학습의 원천이다.
빌 게이츠(Bill Gates)

☞ **가치동인(value drivers) 멘트**

"프리미엄 서비스 패키지는 장기적으로 시간과 비용을 절약할 수 있도록 보장하며 최고의 가치를 제공합니다."
비용 효율성과 시간 절약을 핵심 가치 동인으로 강조한다.

"최첨단 기술을 통해 업계에서 경쟁 우위를 확보하고 앞서 나갈 수 있습니다."
기술 및 경쟁에서 앞서 나가는 가치에 중점을 둔다.

"우리 제품의 내구성은 수년간 교체할 필요가 없다는 것을 의미하며, 장기적인 신뢰성과 안심할 수 있습니다."
내구성과 신뢰성을 주요 가치로 강조한다.

"이 솔루션은 고객의 고유한 요구사항에 맞게 맞춤화할 수 있으므로 타협 없이 원하는 것을 정확하게 얻을 수 있습니다."
커스터마이징과 개인화의 가치를 강조한다.

"당사의 친환경 제품은 고객의 요구를 충족시킬 뿐만 아니라 환경 보호에도 긍정적으로 기여할 수 있습니다."
제품 가치와 환경적 책임을 연결한다.

"연중무휴 24시간 고객 지원을 통해 항상 전문가의 도움을 받을 수 있어 지속적이고 안정적인 서비스를 보장합니다."
지속적인 지원과 신뢰성의 가치를 강조한다.

"사용자 친화적인 디자인으로 사용 편의성을 보장하여 시간을 절약하고 일상 업무의 불편함을 줄여줍니다."
사용자 경험과 단순함에 중점을 둔다.

"이 제품을 선택하면 뛰어난 성능과 수명을 제공하는 최고 품질의 소재에 투자하는 것입니다."
재료의 품질과 성능을 핵심 가치 측면으로 강조한다.

"당사의 포괄적인 교육과 리소스를 통해 제품의 유용성과 이점을 극대화할 수 있습니다."
활용도를 극대화하기 위한 추가 리소스 및 교육을 통해 가치를 제공한다.

"당사의 제품은 고객의 현재 요구 사항을 충족할 뿐만 아니라 향후 요구 사항에 따라 유연하게 진화할 수 있습니다."
중요한 가치 동인으로 적응성과 미래 대비를 강조한다.

■ 요약

가치동인은 핵심설득포인트로서 동의와 공감을 이끌어 낸다.
가치동인은 고객의 욕구와 우선순위의 다양성에 대한 이해에서 시작된다.
고객마다 서로 다른 전략적 가치프레임워크를 통해 대응해야 한다.

■ **핵심키워드**

설득포인트, 가치동인, 핵심동력, 설득요인, 가치 프레임워크, 고객중심,
욕구분석, 맞춤화

■ **적용 질문**

가치동인이 동의와 공감을 이끌어내는 이유가 무엇인가?
가치동인을 포착해 내기 위해 집중해야 되는 것이 무엇인가?
가치동인을 활용하는 10가지 방법은 무엇이고 내가 집중해야 될 요소
는 무엇인가?

제 11 장

풋 인 더 도어(foot-in-the-door)
'작은 것부터'

"작은 예스(Yes)들은 문턱을 넘어가게 하는 힘이 있다."
닥터 브라이언(Dr. Brian)

풋 인 더 도어(foot-in-the-door)

■ 개념

"Foot-in-the-Door"(FITD) 기술은 사회 심리학 영역에서 잘 연구된 원리이며 특히 설득 및 판매 분야와 관련이 있다. 이 기술의 핵심은 먼저 더 작은 관련 요청에 대한 동의를 얻어 더 큰 요청에 대한 수용을 얻는 것이다. 작은 행동과 합의를 통해 친밀감[61]과 신뢰를 구축하면 더 큰 요청이나 제안을 위한 길을 열 수 있다는 것이다. 초기 요청이 작으면서, 후속 큰 요청과 관련[62]이 있었을 때 더 효과적이다. 오히려 초기 요청이 너무 크다고 인식이 되면 FITD효과가 감소[63]하는 것으로 나타났다. 제품에 대한 작은 체험에 참여한 고객이 그렇지 않은 고객보다 높은 기대치와 수요[64]를 가지며 기꺼이 더 높은 가격을 지불할 의향을 보였다. 사소[65]해 보이는 초기 요청으로 시작하여 관련된 더 큰 요청에 대한 준수율이 32% 이상 증가하는 것으로 나타났다.

여기에 기본이 되는 심리적 메커니즘은 개인이 처음에 작은 행동이나 합의에 전념하면 내부적으로나 외부적으로 그 약속에 따라 일관되게 행동하라는 일정한 압력을 느낀다는 것이다. 이렇게 하면 후속 큰 요

---

[61] "How to Win Friends and Influence People", Dale Carnegie

[62] "A comparison of the foot-in-the-door technique and the door-in-the-face technique", Robert B. Cialdini and David W. Schroeder, 1976.

[63] "Sequential-request strategy effects: The role of donation size and solicitor gender", Stephen J. Heishman, 1993.

[64] "The effects of product trial on consumer expectations, demand, and prices", R. Andrew Muller, Stuart Mestelman, John Spraggon, and Rob Godby, 2006.

[65] "The Small Big: Small Changes That Spark Big Influence" ,Steve J. Martin, Noah J. Goldstein, and Robert B. Cialdini

청을 더 쉽게 수락할 수 있다. 최초 수용은 상대를 보는 방식과 태도를 바꿀 수 있으며, 더 큰 후속 조치가 별도의 더 중요한 요청이 아닌 자연스러운 진행처럼 느껴지도록 만든다.

FITD의 증거는 경험적 연구에 기초를 두고 있다. 기초 연구 중 하나에는 주택 소유자에게 창문에 안전 운전을 지원하는 작은 표지판을 배치하도록 요청했다. 동의한 사람들은 처음에 작은 요청을 받지 않은 사람들에 비해 나중에 자신의 앞마당에 훨씬 더 큰 간판을 받아들일 가능성이 훨씬 더 높았다.

FITD 기술의 주요 내용은 점진적 약속의 힘이다. 판매 및 설득의 맥락에서 작은 합의나 행동을 얻는 것은 더 큰 약속을 위한 길을 열어줄 수 있으며 이 기술은 결정에 영향을 미치려는 사람들에게 귀중한 도구가 된다. FITD와 관련된 설득 기술은 초기 수용했던 것과 일치[66]하려하고 장기적인 관점에서의 행동변화를 수반시킨다. 먼저 제시된 작은 요청이 후속 큰 요청의 결과를 미리 유도하게 하는 마중물(Friming)[67]의 역할을 하기 때문이다. 압박이 없이 수용하고 따르게 하는 수용 심리학과 맥을 같이 한다. FITD 기술을 사용했을 때 더 큰 요청에 대한 수용율[68]이 400% 증가한 것으로 나타났다.

풋 인 더 도어(foot-in-the-door) 기법은 'Slow to Fast'와 같은 맥락으로 작은 요청이 먼저 이루어진 후 더 큰 요청이 이어지는 설득 전략이다. 그 생각은 사람들이 이미 작은 요청에 동의한 후에 더 큰 요

---

[66] "Commitment and behavior change: Evidence from the field", Sebastien Chassang, 2010.
[67] "Pre-Suasion: A Revolutionary Way to Influence and Persuade", Robert B. Cialdini
[68] "Influence: The Psychology of Persuasion", Robert B. Cialdini

청에 동의할 가능성이 더 높다는 것이다.

예를 들어, 관리자가 팀이 처음에는 관심이 없는 추가 프로젝트를 맡도록 설득하려고 한다고 가정해 보겠다. 관리자는 팀에게 전체 프로젝트를 맡으라고 요구하는 대신 프로젝트를 논의하기 위한 회의에 참석하도록 요청하는 것으로 시작할 수 있다. 팀이 미팅에 참석하기로 동의하면 관리자는 프로젝트를 더 자세히 발표하고 팀이 이를 맡을 의향이 있는지 물어볼 수 있다.

작은 요청으로 시작하여 점차 확대함으로써, 관리자는 팀이 더 큰 요청에 동의하도록 할 가능성이 더 높다. 이 기술은 사람들이 일반적으로 자신의 과거 행동과 약속에 일치하는 것을 좋아하기 때문에 처음 요청에 동의하면 더 큰 요청에 동의할 가능성이 더 높기 때문에 효과가 있다.

이 기술은 윤리적으로 사용되어야 하며 조작적으로 사용되어서는 오히려 혐오감[69]을 유발하기도 한다. 요청은 합리적이어야 하며 궁극적인 목표는 양 당사자 모두에게 이익이 되는 것이어야 한다. 조작적인 요구로 비칠 경우 신뢰를 훼손하고 의도했던 것과 정반대의 효과를 낼 수 있다.

아울러, 설득 기술은 조작적으로 사용되지 않고 윤리적으로 사용되어야 한다는 것에 주목하는 것이 중요하다. 판매 담당자가 어려운 고객을 설득하여 고가의 제품을 구매하려고 한다고 가정해 보겠다. 고객은 망설이고 있고 그 생각에 저항하는 것처럼 보인다. 판매 담당자는 고객이 동의할 가능성이 더 높은 작은 요청부터 시작하여 풋 인 더 도어

[69] "The 'foot-in-the-door' technique and its aversive effects: A cognitive explanation.", Boucher, J., & Guéguen, N. (2008)

기법을 사용할 수 있다.

예를 들어, 판매 담당자는 고객에게 제품에 대한 무료 평가판 또는 저렴한 제안에 가입하도록 요청할 수 있다. 고객이 더 작은 요청에 동의하면 판매 담당자가 전체 제품 오퍼링을 제시하고 고객이 더 비싼 제품을 구매할 의향이 있는지 여부를 물어볼 수 있다.

고객은 작은 요청부터 시작하면 위험 부담[70]이 적은 것처럼 보이기 때문에 예라고 대답할 가능성이 높다. 가정용품에 대한 설문의 경우, 이전에 작은 요청에 응했던 사람들에게서 좀 더 큰 요청에도 응하는 비율이 22%에서 53% 증가하는 결과가 보였다. 일단 그들이 그 약속을 한 후에, 그들은 더 큰 요청을 고려하는 것에 더 수용적일 수 있다. 또한 고객은 더 작은 요청으로 제품을 경험함으로써 그 가치를 확인하고 전체 제품의 구매를 고려할 가능성이 높아진다.

작은 규모의 요청이 고객에게 여전히 가치를 제공해야 하며 시간 낭비나 미끼와 호객 전략으로 간주되어서는 안 된다는 점에 유의해야 한다. 궁극적인 목표는 고객과 비즈니스 모두에게 이익이 되는 것이어야 한다. 고객이 조작된 것처럼 느낄 경우 비즈니스와의 관계와 신뢰가 손상될 수 있다.

---

[70] "Compliance without pressure: The foot-in-the-door technique", Jonathan L. Freedman and Scott C. Fraser, 1966.

"작은 약속은 큰 약속을 여는 열쇠이다."
로버트 시알디니(Robert Cialdini)

■ 핵심 특징

일관성 원칙(Consistency Principle): FITD는 일관성 심리학 원칙을 활용한다. 사람들은 과거의 행동과 수용에 부합하는 방식으로 행동하는 자연스러운 경향이 있다. 누군가가 작은 요청에 동의하면 그 결정과 일관성을 유지하려고 한다.

신뢰 구축(Building Trust): FITD는 잠재적인 고객 또는 소비자와의 신뢰와 관계 구축에 활용될 수 있다. 작고 동의하기 쉬운 요청으로 시작하면 긍정적인 상호 작용을 만들고 더 큰 수용에 대비한 준비를 할 수 있다.

점진적 수용(Gradual Commitment): 이 기술은 점진적 수용의 개념을 기반으로 한다. 작은 요청에서 시작하여 점차 큰 것으로 이동한다. 이러한 점진적 접근은 저항을 줄이고 사람들이 최종적인 큰 요청에 동의하기 쉽게 만든다.

인식된 압박 감소(Reducing Perceived Pressure): FITD는 작은 요청으로 시작하기 때문에 종종 사람에게 덜 위협적이거나 압박을 주지 않는 것처럼 느껴진다. 이것은 더 느긋하고 긍정적인 상호 작용을 유발할 수 있다.

영업에서의 적용(Applicability in Sales): 판매에서 FITD는 먼저 고객이 뉴스레터를 가입하거나 무료 웨비나에 참석하는 것과 같은 작은 동작에 동의하도록 요청함으로써 적용될 수 있다. 이러한 단계를 밟은 후에는 구매와 같은 큰 수용에 더 수용적일 가능성이 높아질 수 있다.

맞춤화(Customization): FITD는 다양한 상황과 업계에 맞게 맞춤화될 수 있다. 초기 요청은 목표나 요청과 관련이 있어야 한다.

윤리적 고려사항(Ethical Considerations): FITD를 윤리적으로 사용하는 것이 중요하다. FITD의 부적절한 사용 또는 조작적인 사용은 평판과 고객과의 관계에 손상을 줄 수 있다.

추적과 측정(Tracking and Measurement): FITD를 사용하는 판매 및 마케팅 캠페인에서는 기술의 효과를 추적하고 측정하는 것이 중요하다. 이는 변환율 및 수용의 진행 상황을 분석하는 것을 포함한다.

후속 조치 및 가치 제공(Follow-Up and Delivering Value): 초기 수용을 확보한 후에는 후속 조치를 취하고 약속을 이행하는 것이 중요하다. 이는 신뢰를 강화하고 미래의 요청에 동의할 가능성을 높일 수 있다.

한계(Limitations): FITD는 모든 상황에서 동작하지 않을 수 있다. 일부 개인은 어떤 형태의 설득에도 저항할 수 있으며, 기술이 매우 회의적이거나 정보를 잘 알고 있는 상대에게는 효과적이지 않을 수 있다.

시사점 : "Foot-in-the-Door" 기법은 설득과 판매 전략의 중요한 도구이다. 이것은 일관성의 원리와 점진적 수용의 개념을 활용하여 초기 동의를 한 사람이 큰 수용에 더 쉽게 동의할 가능성을 높이는 데 기반

한다. 그러나 특정 상황과 상대에 맞게 윤리적으로 사용되어야 한다.

"천 마일의 여정은 한 걸음부터 시작된다."
라오 츠(Lao Tzu)

■ 풋 인 더 도어(foot-in-the-door) 대표적인 사례들

긍정적으로 활용된 대표적인 사례는 아래와 같다.

자선 기부 시나리오(Charitable Donations): 자선 단체는 이웃 주민들에게 특정 활동을 지지하는 작은 표지판을 창문에 표시하도록 요청하는 것으로 시작했다. 몇 주 후, 같은 주민들은 자신의 앞마당에 훨씬 더 큰 표지판을 배치하라는 요청을 받았다. 연구에 따르면 작은 표시에 동의한 사람들은 처음에 큰 요청만 받은 사람들에 비해 더 큰 요청을 수락할 가능성이 훨씬 더 높았으며 때로는 76%까지 높은 비율로 나타났다.

시장 조사 설문조사 시나리오(Market Research Surveys): 한 소비재 회사는 먼저 쇼핑몰에 있는 쇼핑객에게 쇼핑 습관에 대한 한두 가지 짧은 질문에 대답하도록 요청했다. 일주일 후, 동일한 응답자들은 훨씬 더 길고 상세한 설문조사를 완료해 달라는 요청을 받았다. 초기 질문에 응답한 사람들 중 상당한 비율(종종 50% 이상)이 긴 설문조사를 완료하는 경향이 있는 반면, 예비 질문 없이 긴 설문조사만 진행했을

때는 준수율이 훨씬 낮았다.

구독 모델 시나리오(Subscription Models): 스트리밍 서비스는 콘텐츠에 대한 액세스가 제한된 30일 무료 평가판을 제공한다. 평가판 종료가 가까워지면 사용자에게 할인된 3개월 정기구독권이 제공된다. 평가판을 시작한 후 할인된 구독으로 전환하는 사용자의 전환율은 처음부터 전체 구독을 제공하는 사용자의 전환율보다 낮은 비율에 비해 종종 65%를 초과했다.

소매 상향 판매 시나리오(Retail Upselling): 옷 가게에서 신발을 구매하는 고객은 처음에 신발 끈이나 작은 액세서리와 같은 저가 품목을 구매에 추가할지 묻는 질문을 받았다. 동의하면 어울리는 가방이나 재킷과 같이 더 비싼 품목이 표시된다. 판매 데이터에 따르면 더 작은 추가 옵션에 동의한 후 더 높은 가격의 품목을 구매할 확률이 최대 30% 증가한 것으로 나타났다.

건강 캠페인 시나리오(Health Campaigns): 지역사회 주민들은 먼저 더 건강한 생활방식에 대한 약속을 나타내는 서약서에 서명하도록 요청 받았다. 몇 주 후, 동일한 주민들에게 엄격한 피트니스 프로그램에 참여해 달라는 요청이 왔다. 연구에 따르면 FITD 전략을 접한 지역사회에서는 건강 계획 참여율이 약 40% 증가할 수 있는 것으로 나타났다.

"FITD 기술은 강력한 도구이지만, 큰 책임이 따른다."
익명(Unknown)

반대로, 부정적으로 사용된 대표적인 사례는 아래와 같다.

공격적인 시간 공유 판매(Aggressive Time-share Sales): 휴가객에게는 아무런 조건 없이 "무료" 주말 휴가가 제공되었다. 일단 도착하면 그들은 할부로 구매하도록 유도하기 위해 고압적인 영업 프레젠테이션을 받게 되었다. 일부 참석자는 결국 할부로 구매하게 되지만 많은 참석자는 속고 조종당했다고 느꼈다. 이벤트 후 설문 조사에 따르면 참석자 중 불만족 비율이 70% 이상으로 나타났다.

오해의 소지가 있는 온라인 시험 (Misleading Online Trials): 소비자에게 온라인 서비스에 대한 "무료" 1개월 평가판이 제공된다. 그러나 작은 글씨로 된 항목에서 취소하지 않는 한 자동으로 1년 요금이 청구된다고 명시되어 있다. 이로 인해 소비자 플랫폼에서 수많은 불만이 제기되었으며, 80% 이상의 사용자가 명세서에서 예상치 못한 청구 금액을 발견하면서 속았다고 느꼈다.

공격적 조사 (Invasive Surveys): 회사는 거리에서 두 가지 질문으로 구성된 작은 설문조사로 시작한 다음 완료되면 개인에게 더 개인적이고 민감한 정보를 요구했다. 이는 신뢰 상실로 이어질 수 있다. 어떤 경우에는 후속 피드백에 따르면 최대 90%의 참가자가 개인 정보가 침해되었다고 느꼈다.

압박적 자선 기부(High-pressure Charity Donations): 개인은 처음에 목적을 지원하기 위해 손목 밴드를 착용하도록 요청 받았다. 나중에, 이 동일한 개인들은 큰 금전적 기부를 위해 공격적으로 요청되었다. 이러한 전술은 역효과를 낳을 수 있으며, 자선 단체에서는 이러한 방식으로 접근한 사람 중 최대 60%가 향후 조직을 지원할 가능성이 낮다는 사실을 발견했다.

오해의 소지가 있는 판매 전술(Misleading Sales Tactics): 한 매장에서 새로 구입한 전자제품에 대해 저렴한 유지 관리 패키지를 고객에게 제공한다. 구매 후 고객은 초기 패키지에 중요한 서비스가 포함되어 있지 않다는 사실을 알게 되고 훨씬 더 비싼 요금제로 상향 판매되었다. 이는 상당한 고객 불만으로 이어질 수 있다. 고객이 자신의 오해를 깨닫게 되면 반품 및 불만 사항이 50% 증가할 수 있다.

"전체 계단을 보지 않아도 첫걸음을 내디딜 수 있다."
마틴 루터 킹 주니어(Martin Luther King Jr.)

■ 풋 인 더 도어(foot-in-the-door)를 활용한 대면영업 사례

✧ 성공적인 사무용품 거래

A는 사무용품 회사의 영업 대표로서, 명문 변호사 사무소와의 대규모 계약을 체결하려고 했다. 변호사 사무소가 지출에 대해 보통 주의성을 가지고 있기 때문에, 그들의 약속을 점차적으로 얻고자 했다.

단계 1: 작은 부탁(Small Request)
변호사 사무소에 연락을 취하고, 사무용품 선호도에 대한 간단한 설문조사에 참여할 의사가 있는지 물어보았다. 이것은 변호사 사무소에게 큰 약속을 요구하지 않는 작고 사소한 부탁이었다.

결과: 긍정적인 응답(The Positive Response)
변호사 사무소는 그들에게서 잠재적인 공급 업체에게 미니멀한 요청에 대해 설문 조사에 참여하기로 합의했다.

단계 2: 약속 증진(Building on the Commitment)
변호사 사무소가 설문 조사를 완료했고, 그들의 참여에 대한 감사의 표시로 브랜드 제품의 책상 정리함과 같은 작은 선물을 제공했다.

결과: 증가하는 참여(Increased Engagement)
변호사 사무소는 선물에 감사하게 생각하고 회사와의 점차적인 참여에 대한 긍정적인 느낌을 가졌다.

단계 3: 큰 부탁(The Big Request)
긍정적인 유대감과 상호간의 신뢰가 형성된 상태에서 그들에게 본 제안을 했다. 그것은 그들의 전체 사무실에 대한 포괄적인 사무용품 제안이었다.

결과: 성공적인 계약(The Successful Deal)
놀랍게도, 상호간의 신뢰와 호의가 발전한 동안 변호사 사무소는 이러한 제안에 대해 진지하게 고려하였다. 협상 이후에, 회사와의 유리한 계약을 체결했다.

시사점

점진적인 약속(Gradual Commitment): FITD 기법은 큰 요청에 앞서 작은 요청으로 시작하는 것이다. 이러한 점진적인 진행은 신뢰와 약속을 구축하는 데 중요하다.

상호간의 호의(Reciprocity): 초기 요청 이후에 작은 선물이나 감사의 표시를 제공함으로써 상호간의 친밀감을 만들 수 있다.

고객 이해(Relationship Building): 고객의 필요와 우려에 대한 이해를 보여줌으로써 고객에게 맞게 조정했다.

관계 구축(Understanding the Client): 이 기법은 고객과의 긍정적인 관계 구축에 중점을 둔다. 강력한 관계는 더 큰 약속으로 이어질 수 있다.

인내(Persistence): FITD는 효과적이지만 인내와 끈기가 필요하다. 큰 부탁으로 급히 넘어가지 않고 관계가 자연스럽게 발전할 수 있도록 했다.

FITD 기법은 존이 고객의 약속과 신뢰를 점차적으로 얻음으로써 가치 있는 계약을 보호하도록 도왔다. 이것은 관계 구축과 대면 영업에서 시스템적인 접근을 사용하는 능력의 힘을 나타내는 사례이다.

✧ IT 솔루션 업그레이드

A는 IT 솔루션 회사의 영업 대표로 중소 규모의 제조 회사와 예정된 미팅이 있었다. 회사가 그들의 기존 IT 인프라를 업그레이드하는 것을 설득하려고 했으며, 이는 상당한 투자가 필요한 작업이었다.

단계 1: 초기 상담(Initial Consultation)
먼저 그들의 현재 IT 인프라를 평가하는 무료 초기 상담을 제공하여 시작했다. 이 초기 상담은 그들의 해결과제 포인트를 식별하고 개선

가능한 영역을 확인하는 것을 포함했다. 회사는 큰 시간과 노력이 필요로 하지 않기 때문에 이러한 초기 요청에 동의했다.

결과: 신뢰 구축(Establishing Trust)
초기 상담을 통해 신뢰를 구축하고 IT 솔루션에 대한 전문가로서 자신을 입증할 수 있었다. 고객은 그의 전문 지식과 철저한 분석을 긍정적으로 평가하였다.

단계 2: IT 감사 및 권장 사항(Audit and Recommendations)
초기 상담 후 IT 감사를 실시하여 개선이 필요한 여러 영역을 식별했다. 문제점을 강조하고 솔루션을 권장하는 자세한 보고서를 회사에 제공했다. 이러한 권장 사항은 서버 업그레이드, 사이버 보안 강화 및 효율적인 소프트웨어 구현과 같은 것들을 포함하고 있었다.

결과: 일련의 작은 헌납(A Series of Small Commitments)
제안된 해결책 중 일부를 처음 단계로 시행하기로 한 제조 회사는 서버 인프라 업그레이드 및 사이버 보안을 향상시키는 것과 같은 것을 시행하기로 결정했다. 이것들은 관리 가능한 단계로 여겨졌다.

단계 3: 종합적인 IT 솔루션(Comprehensive IT Solutions)
초기 업그레이드가 성공적으로 시행되고 회사의 IT 성능이 향상되자 종합적인 IT 솔루션 패키지를 제안했다. 이에는 전체 IT 인프라 업그레이드, 클라우드 통합 및 지속적인 IT 지원이 포함되었다.

결과: 성공적인 업그레이드(A Successful Upgrade)
초기 업그레이드의 혜택을 보고 효율성이 향상되자 제조 회사는 종합 IT 솔루션 패키지에 동의했다. 그들은 이 패키지가 그들의 업무에 가져올 장기적 가치와 장점에 대해 이해했다.

시사점

단계적인 헌납(Gradual Commitment): FITD 기술은 큰 제안에 이르기 전에 관리 가능한 작은 요청으로 시작하는 것을 포함한다. 이 경우 초기 상담 및 작은 업그레이드가 중요한 IT 솔루션 패키지로 이어졌다.

신뢰 및 전문 지식(Trust and Expertise): 초기 단계에서 가치 있는 정보를 제공하고 전문성을 나타내면 고객과의 신뢰를 구축할 수 있다.

구체적인 혜택(Tangible Benefits): 작은 제안의 혜택을 보여주고 이로 인한 개선 사항을 경험하면 더 큰 투자에 대한 동의를 얻을 가능성이 높아진다.

고객 중심 접근(Client-Centered Approach): 해결책을 고객의 개선 포인트와 요구 사항에 맞게 맞추는 것이 중요하다.

관계 구축(Relationship Building): FITD 기술은 판매만 하는 것이 아니라 고객과의 장기 관계를 구축하는 것과 관련이 있다.

FITD 기술을 효과적으로 사용하여 제조 회사를 중요한 IT 인프라 업그레이드로 안내하였으며, 성공적이고 상호 이익적인 협력 관계를 이끌었다.

"작은 '동의'로 시작하고 큰 '요청'으로 나아가는 것은
성공적인 설득의 열쇠이다."
익명(Unknown)

■ 풋 인 더 도어(foot-in-the-door)를 오용한 대면영업 사례

✧ 주택 안전 시스템의 과한 FITD 접근 방식

집 안전 시스템 회사의 영업사원인 A는 잠재 고객의 집을 방문했다. 종합적인 안전 시스템을 판매하려 했지만 FITD 기법을 오용했다.

대화를 시작할 때 집 안전 팁 브로셔를 무료로 받아보고 싶냐고 물었다. 간단한 요청이라고 생각해 동의했다. 그러나 여기서 멈추지 않고 곧 바로 다른 요청을 계속해서 했다. 무료 안전 평가 신청, 안전 시스템 시연 참석 및 최종적으로 안전 시스템 계약에 서명하도록 압박했다.

지속적인 요청으로 인해 일방적이고 조종당한 느낌을 받았다. 처음에는 작은 요청(브로셔)에 동의했지만 더 크고 비용이 드는 약속에 동의하도록 강요 받았다. 이로 인해 오히려 화가 나고 영업사원과 회사에 대한 불신을 품게 되었다.

시사점

경계 존중(Transparency Matters): FITD 기법은 고객의 지켜야 할 선을 존중하며 사용해야 한다. 점점 더 큰 약속을 지속적으로 요구하면 압박을 당하는 느낌이 들 수 있다.

투명성이 중요(Build Trust Gradually): 고객에게 투명성은 중요하다. 처음부터 안전 시스템을 판매하려는 의도를 고객에게 알려줬다면 불신을 품는 대신 신뢰를 구축하는데 도움이 될 수 있었을 것이다.

단계적으로 신뢰 구축: FITD는 작은 합리적인 요청으로 시작하여 고객의 편안함을 고려하지 않고 너무 과격하게 사용할 경우 신뢰를 쌓는데 도움이 되지 않을 수 있다.

장기 관계(Long-Term Relationships): 영업은 단기 이익에만 초점을 두는 대신 상호 이익과 신뢰를 기반으로 장기 관계를 구축해야 한다.

고객의 편안함을 고려하지 않고 지속적으로 요청을 과도하게 증가시킴으로써 FITD 기법을 오용했다. 이 기법을 사용할 때 고객의 필요와 선호도를 고려하여 미덕과 윤리적으로 사용해야 함을 상기시키는 중요한 사례이다.

✧ 강압적인 구독 판매원

A는 피트니스 매거진의 구독 판매원으로, 잠재 고객의 집을 방문했다. 연간 구독을 판매하려고 했지만 FITD 기술을 오용하게 되었다.

피트니스 매거진의 무료 1개월 체험 구독을 제공하면서 설명을 시작했다. 피트니스에 관심이 있어 이를 받아보기로 동의했다. 그러나 거기서 그치지 않았다. 다음 몇 분 동안 고객을 압박하여 할인 혜택과 무료 선물을 약속하며 2년 구독에 가입하도록 했다.

결과: 초기에 1개월 체험을 받아보는 것이 합리적이라 생각했지만, 강압적인 접근으로 불편함을 느꼈다. 마침내 2년 구독에 동의했지만 나중에 후회하게 되었다. 자신이 준비하지 않은 약속을 받아들이게 된 것처럼 느꼈으며, 결국 구독을 해지했다.

시사점

경계 존중(Respect Boundaries): FITD 기술은 잠재 고객의 경계와 편안함을 존중해야 한다. 고객에게 더 큰 약속에 대해 압박하는 것은 구매 후 후회의 원인이 될 수 있다.

정직의 중요성(Honesty Matters): 판매에서의 정직함과 투명성은 중요하다. 처음부터 2년 구독에 대해 솔직히 말했다면 해당 정보를 기반으로 한 결정을 내릴 수도 있었을 것이다.

장기 만족도(Long-Term Satisfaction): FITD는 장기 고객 만족도를 목표로 해야 한다. 고객이 후회하는 약속을 강요하는 것은 회사의 평판을 손상시킬 수 있다.

신뢰 구축(Building Trust): 고객과의 신뢰 구축은 매우 중요하다. 강압적인 접근은 신뢰를 흔들어 놓고 고객이 미래 상호 작용을 경계하게 만들 수 있다.

FITD 기술을 오용하여 더 큰 제안을 압박 한 결과, 단기적인 판매는 이루어졌지만 결국 고객 불만과 구독 취소로 이어졌다. 이것은 윤리적이고 존중 받는 판매 방법이 지속적인 고객 관계 구축에 필수적임을 상기시키는 사례이다.

"작은 요청에 동의하도록 누군가를 설득하는 것은 씨앗을 심는 것과 같다. 시간이 지남에 따라 훨씬 큰 열매로 자라날 수 있다."

로버트 시알디니(Robert Cialdini)

■ 풋 인 더 도어(foot-in-the-door)를 활용하는 10가지 방법

작은 요청으로 시작(Start Small)

쉽게 동의할 수 있는 작은 요청으로 시작한다. 사람들은 미미한 것에 동의한 후에 더 큰 요청에 동의할 가능성이 높다.

예시 : 고객에게 유료 구독 옵션을 제안하기 전에 무료 뉴스레터에 가입하도록 요청한다.

단계적인 약속(Gradual Commitment)

점진적으로 더 큰 요청으로 나아간다. 작은 약속으로 시작하여 점차적으로 더 중요한 행동을 요청할 수 있다.

예시 : 고객이 기본 소프트웨어 패키지를 구매한 후에 업그레이드나 추가 기능을 제안한다.

적극적인 참여 유도(Active Participation)

고객이 활동적으로 과제에 참여하도록 유도한다. 적극적인 참여는 고객이 소속감과 동질감을 더 많이 느끼게 한다.

예시 : 구매를 하기 전에 고객에게 체험을 진행하거나 피드백을 제공하도록 요청한다.

일관성(Consistency)

이전에 받았던 동의와 행동을 강조한다. 이전 약속을 상기시켜서 동의를 강화시킨다.

예시 : 특정 제품에 관심을 표했던 고객이 있었다면 그 사실을 언급한다.

긍정적 피드백(Positive Feedback)

초기 동의에 대한 긍정적인 피드백을 제공한다. 고객의 행동을 인정하고 그들의 결정을 강화한다.

예시 : 웹 세미나에 가입해 주셔서 감사하다고 말하고 어떤 가치를 얻게 될지 강조한다.

적절한 시점(Timing)

초기 요청을 적절한 시점에 한다. 요청이 고객의 현재 마음가짐이나 상황과 일치하도록 한다.

예시 : 운동을 시작하고 싶다는 의사를 표명한 사람에게 특별 할인을 제안한다.

맞춤형 접근(Customization)

요청을 개인의 선호도에 맞게 맞춘다. 맞춤화된 호소는 동의를 더 획득하기 쉽게 만든다.

예시 : 이전 구매 내역을 기반으로 고객에게 제품 추천을 제공한다.

순차적 접근(Sequential Approach)

큰 요청을 더 작고 관리 가능한 단계로 나눈다. 복잡한 결정을 단계별 접근으로 안내하여 고객이 결정하기 쉽게 한다.

예시 : 중요한 금융 결정을 할 때 고객이 따라가야 할 체크리스트를 제공한다.

사회적 증거(Social Proof)

다른 사람이 동의한 사실을 제시한다. 다른 사람의 행동이 영향을 미친다.

예시 : 이미 여러 명의 고객이 해당 서비스로 전환했던 것을 강조한다.

독점성(Exclusivity)

이번 제안을 독점적 기회로 제시한다. 고유한 것으로 모든 사람에게 제공되지 않는 제안에 사람들은 더 많은 관심을 두게 된다.

예시 : 일부 충성 고객을 위한 제한적 할인을 제공한다.

"작은 'Yes'로 시작하고 그것을 크게 키워나가라."
익명(Unknown)

☞ 풋인더도어(Foot-in-the-door) 멘트

초기 요청: "저희 제품을 일주일 동안 무료 체험해 보시겠습니까?"
후속 요청: "이제 혜택을 보셨으니 연간 패키지에 가입해 보시면 어떨지요?"

최초 요청: "귀하의 요구 사항을 논의하기 위해 15분 정도의 짧은 미팅을 예약할 수 있을까요?"
후속 요청: "필요한 사항을 확인했으니 이제 본격적인 상담을 진행해보면 어떨까요?"

초기 요청: "신제품 브로셔에 대한 피드백을 주시겠습니까?"
후속 요청: "브로셔가 마음에 드셨으니 전체 제품 라인에 대한 자세한 프레젠테이션을 보시면 어떠실까요?"

최초 요청: "지금 바로 저희 소프트웨어의 간단한 데모를 보여드릴 수 있을까요?"
후속 요청: "저희 데모가 흥미로우셨군요. 전체 기능이 포함된 무료평가버전은 어떠실까요?"

최초 요청: "소셜 미디어를 팔로우하여 저희 서비스에 대한 최신 소식을 받아보실 수 있나요?"
후속 요청: "이제 저희 서비스에 대한 최신 소식을 받으셨으니, 저희 전용 뉴스레터를 구독해보시는 것은 어떠세요"

최초 요청: "저희 제품 샘플을 보내드릴까요?"
후속 요청: "샘플이 마음에 드셨으니 전체 세트에 관심을 가져 보시는 것은 어떠세요?"

최초 요청: "업계 인사이트를 무료로 받아볼 수 있도록 메일링 리스트에 등록해 주시겠습니까?"
후속 요청: "저희 인사이트가 유용하다고 생각하시니, 심층 시장 분석 서비스에도 관심을 가져주시면 어떨지요?"

최초 요청: "새로운 모델의 기능에 대해 설명해 주시겠습니까?"
후속 요청: "이제 기능을 이해하셨으니 업그레이드를 고려해 보시면 어떨까요?"

최초 요청: "쇼핑 선호도에 대한 간단한 설문조사를 작성해 주시겠습니까?"
후속 요청: "설문조사 결과를 바탕으로 전문가와 함께 맞춤형 쇼핑 경험을 제공해 드리면 어떨까요?"

최초 요청: "재무 계획에 관한 무료 워크숍에 참석하시겠습니까?"
후속 요청: "워크숍이 도움이 되셨기를 바랍니다. 프리미엄 재무 자문 서비스를 받아보는 건 어떨지요?"

■ **요약**

FITD기술은 작은 요청에 동의를 얻어 더 큰 요청에 대한 수용을 얻는 것이다.
작은 합의를 통해 친밀감과 신뢰를 구축하고 더 큰 요청이나 제안을 위한 길이 열린다.
점진적인 약속의 힘이고, 후속 요청과 관련이 있을 때 효과적이다.

■ **핵심키워드**

Foot-in-the-Door(FITD), Slow to Fast, 작은 요청, 최초 수용, 마중물, 점진적 수용, 점진적 약속, 순차적 접근

■ **적용 질문**

FITD가 설득과 영업에서 가지는 특징들은 무엇인가?
FITD으로 설득과 영업에서 거둘 수 있는 기대효과는 무엇인가?
설득과 영업에서 FITD를 효과적으로 활용할 수 있는 10가지 방법은 무엇이고 나에게 강화해야 할 요소는 무엇인가?

제 12 장

패러프레이징(Paraphasing)
'바꿔 말하기'

———❖———

"패러프레이징은 적극적 공감과 경청의 산물이다."
닥터 브라이언(Dr. Brian)

패러프레이징(Paraphasing)

■ 개념

패러프레이징(Paraphasing) 기법은 들은 말을 다른 말로 의역하는 것으로, 다른 사람의 말이나 아이디어의 본질을 유지하면서 다른 사람의 말이나 아이디어를 바꿔 쓰는 것을 목표로 하는 설득 및 판매 영역에서 필수적인 도구이다. 이러한 기술은 친밀감을 형성하고, 이해를 명확히 하며, 효과적인 의사소통을 촉진하는 데 도움이 된다. 다른 말로 표현함으로써 적극적인 경청[71]과 공감을 보여주고 상대는 어떻게 보답하려는 의무감과 의지로 이어져 전반적인 상호작용[72]을 향상시킨다.

핵심 원리는 이해와 참여를 반영하는 방식으로 화자의 메시지를 다시 설명하는 것이다. 여기에는 동의어를 사용하고, 문장 구조를 바꾸고, 핵심 사항에 초점을 맞추는 것이 포함된다. 그렇게 함으로써, 말하는 사람의 관점을 인정하고 더 자세히 설명하도록 독려한다.

패러프레이징(Paraphasing)은 영업사원이 잠재 고객의 요구 사항과 우려 사항을 확인하고 공감할 수 있는 솔루션을 제공함으로써 영업 및 설득에 중요하게 활용된다. 다른 표현을 사용하면 오해를 명확히 하고 반대 의견을 효과적으로 해결할 수 있는 기회를 제공하므로 반대 의견 처리에도 도움이 된다. 패러프레이징 기반의 효과적인 질문[73]을 통해 고객의 불만 사항과 요구 사항을 명확히 하고 확인하는데 유용하다. 고객의 관점을 이해하고 관계를 구축하기 위해 적극적으로 경청하고

---

[71] "To Sell Is Human", Daniel H. Pink

[72] "Influence: The Psychology of Persuasion", Robert B. Cialdini

[73] "SPIN Selling", Neil Rackham

그 경청한 것을 다른 말로 바꾸어 다시 상대에게 표현하는 것이 설득력 있는 의사소통을 위해 중요하다

고객의 우선순위[74]를 이해하고 그 우선순위에 대한 것에 맞추어 가는 과정을 도와 거래성사 확률을 높이는데 효과적이다

고객의 감정을 확인하고 이해하는 폭을 넓혀 주고 고객과의 추가 대화[75]를 촉진하도록 돕는다

요약하면, 패러프레이징 기법은 적극적인 경청, 공감, 말하는 사람의 관점을 이해하려는 진정한 욕구를 보여줌으로써 의사소통을 향상시킨다. 이는 영업 및 설득 전문가의 강력한 도구 역할을 하며 의미 있는 연결을 조성하고 성공적인 결과를 이끌어낸다.

"패러프레이징하는 능력은 영업에서 강력한 기술이다. 이것은 재고객에게 진정으로 듣고 그들의 필요를 이해하고 있다는 것을 보여준다."

미상(Unknown)

■ 핵심 특징

적극적인 듣기(Active Listening): 패러프레이징은 적극적인 듣기를 나타내며, 영업에서의 근본적인 기술이다. 당신이 상대방의 발언을 반복하면 그들의 요구사항과 우려를 진정으로 주의 깊게 듣고 있다는 것을

---

[74] "The Psychology of Selling", Brian Tracy
[75] "Yes!: 50 Scientifically Proven Ways to Be Persuasive", Robert B. Cialdini, Noah J. Goldstein, and Steve J. Martin

보여준다.

명확화(Clarification): 패러프레이징을 통해 오해를 해소할 수 있다. 상대방이 말한 내용을 당신 자신의 말로 다시 표현함으로써 그들의 의견을 올바르게 이해했는지 확인할 수 있다.

공감(Empathy): 패러프레이징은 공감을 전달할 수 있다. 상대방의 발언을 다시 말하면 당신이 그들의 상황에 공감하고 그들의 시각에서 상황을 이해하려고 노력하고 있다는 것을 보여준다.

인간관계 구축(Building Rapport): 패러프레이징은 상대방과 인간관계를 구축하는 데 도움이 된다. 이는 당신과 상대방 간의 조율된 관계를 만들어줄 뿐만 아니라 두 사람 사이에 일치감을 조성한다.

메시지 맞춤(Tailored Messaging): 패러프레이징을 통해 메시지를 상대방의 특정한 요구사항과 고통점에 맞출 수 있다. 그들의 말을 반복함으로써 당신은 그들의 우려에 직접 대응하는 응답을 만들 수 있다.

질문 기법(Questioning Technique): 패러프레이징은 질문 기법으로 사용될 수 있다. 상대방의 발언을 다시 말한 후에는 개방형 질문을 통해 그들의 요구사항과 동기에 대해 더 깊게 파고들 수 있다.

갈등 해결(Conflict Resolution): 긴장이나 불일치가 있는 상황에서는 패러프레이징이 유용한 갈등 해결 도구가 될 수 있다. 그들의 시각을 인정하고 공통적인 지점을 찾을 수 있도록 도와준다.

의사소통 향상(Enhanced Communication): 패러프레이징은 명확하고 효과적인 의사소통을 촉진한다. 의사소통 오해의 가능성을 최소화하고 당신과 상대방이 같은 입장에 있음을 보장한다.

혜택 강조(Highlighting Benefits): 패러프레이징을 할 때 당신은 상대방이 표현한 우려사항과 일치하는 방식으로 제품 또는 서비스의 혜택을 강조할 수 있다. 이를 통해 상대방에게 당신이 제공하는 가치를 보여줄 수 있다.

판매 클로징(Closing the Sale): 패러프레이징은 상대방을 결정으로 이끌기 위해 전략적으로 사용될 수 있다. 상대의 요구사항을 재확인하고 해당 솔루션이 그들의 요구사항을 충족시킨다는 것을 보여줌으로써 구매 결정을 내리도록 안내할 수 있다.

"영업에서 패러프레이징은 효과적인 의사 소통의 문을
열어주는 열쇠와 같다."
브라이언 트레이시(Brian Tracy)

■ 패러프레이징(Paraphasing)의 대표적인 사례들

성공적으로 적용된 대표적인 사례이다.

복잡한 거래 협상(Negotiating a Complex Deal): 한 영업사원이 잠재고객과 복잡한 거래를 협상하고 있었다. 고객은 가격 구조와 계약 조건에 대해 우려를 표시했다.

적용: 영업사원은 고객의 우려 사항을 바꾸어 문제를 다시 설명하고

논쟁점을 명확히 했다. 영업사원은 적극적인 경청과 이해를 보여줌으로써 친밀감을 형성하고 고객의 구체적인 우려 사항을 해결하여 성공적인 협상과 계약 체결로 이어졌다.

고액 판매 성사(Closing a High-Value Sale): 한 영업사원이 기업 고객에게 높은 가치의 소프트웨어 솔루션을 소개하고 있었다. 클라이언트는 소프트웨어의 확장성과 통합에 대해 의구심을 갖고 있었다.

적용: 프레젠테이션이 진행되는 동안 영업사원은 고객의 우려 사항을 다시 언급하며 고객이 예상한 과제를 재확인했다. 고객은 자신의 요구사항을 이해하려는 영업사원의 세심함과 의지를 높이 평가했다. 이를 통해 고민사항에 대한 자세한 논의가 이어졌고, 결국 성공적인 매각으로 이어졌다.

회의적인 전망을 설득(Convincing a Skeptical Prospect): 한 영업사원이 회의적인 잠재 고객에게 신기술 제품에 투자하도록 설득하려고 했다. 잠재 고객은 그 기능에 대해 의구심을 갖고 있었다.

적용: 영업사원은 잠재 고객의 의심을 다시 설명하여 회의를 유발하는 특정 측면을 이해했는지 확인했다. 잠재 고객의 구체적인 우려 사항을 설명하고 해결함으로써 영업사원은 모든 불확실성을 해결하려는 의지를 효과적으로 보여 주었고 잠재 고객이 제품을 더 깊이 탐색하려는 의지를 갖게 되었다.

부동산에 대한 반대 극복(Overcoming Objections in Real Estate): 부동산 중개인이 부동산의 위치와 가격에 대해 예약을 한 잠재적 구매자와 협력하고 있었다.

적용: 대리인은 구매자의 반대 의견을 다시 언급하며 구매자가 주저하

는 이유를 재확인했다. 에이전트는 구매자의 우려 사항을 인정하고 다른 말로 설명함으로써 관련 정보와 잠재적인 솔루션을 제공할 수 있었고 궁극적으로 구매자가 구매를 진행하기로 결정하게 되었다.

금융 서비스에 대한 신뢰 구축(Building Trust in Financial Services): 금융 자문가가 과거의 부정적인 경험으로 인해 금융 상품 투자에 신중한 신규 고객을 만나고 있었다.

적용: 고문은 고객의 이전 경험과 예약을 인정하면서 고객의 우려 사항을 다른 말로 표현했다. 금융상담사는 고객의 고민을 의역하고 공감함으로써 신뢰를 구축하고 고객의 목표에 부합하는 맞춤형 투자 계획을 수립하여 성공적인 장기 파트너십을 맺을 수 있었다.

반면, 부정적으로 적용된 사례이다.

판매 손실로 이어지는 잘못된 의사소통(Miscommunication Leading to Lost Sale): 영업사원이 제품 기능에 대한 우려를 제기한 잠재 고객에게 제품을 소개하고 있었다. 영업사원이 우려 사항을 오해하고 부정확하게 설명했다. 잘못된 의사소통으로 인해 고객은 더욱 혼란스러워졌고 영업사원이 자신의 요구 사항을 이해하는 능력에 대한 불신이 생겼다. 잠재 고객은 구매를 진행하지 않기로 결정했다.

주요 우려 사항을 해결하지 못함(Failing to Address Key Concerns): 마케팅 서비스에 대한 영업 홍보 중에 고객이 캠페인의 ROI와 효율성에 대한 우려를 표명했다. 영업사원은 우려 사항을 다른 말로 표현했지만 적절하게 해결하지 못했다. 고객은 자신의 우려가 무시되었다고 느꼈고 영업사원이 반응이 없는 것으로 인식했다. 이로 인해 서비스의 잠재력에 대한 확신이 부족해졌고 고객은 구매를 반대하기로 결정했다.

문화적 민감성을 간과(Overlooking Cultural Sensitivity): 한 영업사원이 특정한 문화적 고려 사항을 갖고 있는 해외 고객과 협상 중이었다. 영업사원은 문화적 차이를 고려하지 않고 고객의 의견을 다른 말로 표현했다. 잘못된 표현은 문화적 민감성 부족으로 인해 오해를 불러일으키고 상대를 불쾌하게 만들었다. 거래가 실패하여 비즈니스 관계가 손상되었다.

저항으로 이어지는 의역(Paraphrasing Leading to Resistance): 한 영업사원이 데이터 보안에 대해 우려하고 있는 잠재 고객에게 새로운 소프트웨어 솔루션을 제안하고 있었다. 영업사원은 우려 사항을 의역했지만, 의역된 반응은 예행 연습을 하고 성실하지 않은 것처럼 보였다. 잠재 고객은 진정한 이해가 부족하다는 것을 느꼈고, 이로 인해 제품에 대한 거부감이 커졌다. 잠재 고객은 영업사원이 자신의 반대 의견을 신중하게 해결하기보다는 조작하려고 한다고 느꼈다.

적절한 지식 없이 다른 말로 표현하기(Paraphrasing Without Adequate Knowledge): 영업사원이 특정 기술 관련 질문이 있는 잠재 고객과 기술 제품에 대해 논의하고 있었다. 영업사원은 질문을 다른 말로 표현했지만 정확한 답변을 제공할 수 있는 기술 지식이 부족했다. 부정확한 표현과 그에 따른 잘못된 응답으로 인해 영업사원의 전문 지식에 대한 고객의 신뢰가 침식되었다. 고객은 다른 곳에서 정보를 찾기로 결정했고 그 결과 기회를 놓쳤다.

"성공한 영업사원은 패러프레이징이 고객이 말한 것과
그들이 필요로 하는 것을 연결해주는 다리라는 것을 안다."
지그 지글러(Zig Ziglar)

■ 패러프레이징(Paraphasing)의 대면영업 사례들

✧ 패러프레이징을 통한 신뢰 구축

A는 사이버 보안 회사의 영업 대표로서 큰 금융 기관과의 회의를 가졌다. 고객은 자신들의 금융 데이터의 보안에 대한 우려를 표명하고 보안 문제를 근본적으로 해결해야 한다고 강조했다.

고객: "우리의 주요 관심사는 고객의 금융 정보를 보호하는 것입니다. 데이터 침해나 보안 결함은 용납할 수 없어요."

긍정형 패러프레이징(Building Trust through Paraphrasing)

"좋은 말씀입니다. 고객의 금융 정보를 보호하는 것이 최우선 과제이며 어떠한 보안 침해는 용납해서는 안됩니다"라고 대답했다.

명확화 패러프레이징(Clarifying Paraphrasing)

대화가 계속됨에 따라 고객은 금융 업계와 관련된 특정 규제 요구 사항을 언급했다.

고객: "데이터 보안과 관련하여 엄격한 규제 기준을 준수해야 합니다."

"그렇군요, 제대로 이해한 것이 맞다면 가장 중요한 것은 규제 기준인데 데이터 보안과 관련하여 엄격한 규제 기준을 준수하는 것이군요."

요약 패러프레이징(Summarizing Paraphrasing)

회의 막바지에 고객은 사이버 보안 솔루션에 대한 기대치를 설명했다.

고객: "우리는 신뢰성 있는 사이버 보안 솔루션을 찾고 있으며, 새로운 위협에 적응하고 실시간 모니터링 기능을 제공해야 합니다."

"요약하면 유연하면서 안정적인 사이버 보안 솔루션을 구축하고, 신뢰성 있는 모니터링 기능을 제공하면서 새로운 위협에도 대응할 수 있어야 하구요."

능동적이고 적극적인 청취와 고객의 특정 우려요인에 대한 적절한 대응을 보여주었다. 패러프레이징은 회의 중에 신뢰와 상호작용을 촉진하는 데 도움이 되었다.

시사점

능동적 청취(Active Listening): 패러프레이징은 능동적 청취의 중요한 구성 요소로서 대화에 완전히 참여하고 있다는 것을 나타낸다.

이해(Understanding): 패러프레이징은 토론된 주제에 대한 양쪽의 명확한 이해가 근간이 된다는 것을 보여준다.

명확성(Clarity): 패러프레이징은 복잡하거나 기술적인 세부 정보를 명확히 하여 오해가 없도록 한다.

신뢰 구축(Trust-Building): 효과적인 패러프레이징은 고객의 우려 사항과 요구 사항을 효과적으로 해소하겠다는 헌신을 나타내므로 신뢰를 구축하는 데 도움이 된다.

조율(Alignment): 패러프레이징은 고객이 표현한 우려와 요구 사항을 반영하여 회사가 제공하는 솔루션을 조율하는 데 도움이 되며 판매 성공 가능성을 높인다.

✦ **고객의 우려 해결하기**

A는 보험 회사의 영업 대표로, 잠재적인 고객과의 미팅을 가졌다. 보험 정책의 복잡성과 관련된 비용에 대한 우려를 표현했다. 이러한 우려를 효과적으로 해결하여 거래를 성사시키기 위해 노력해야 했다.

미러형 패러프레이징(Reflective Paraphrasing)

고객: "보험 정책이 어려워서 복잡한 수수료에 대한 걱정이 있어요."

"이해했어요. 보험 정책의 복잡성과 예상치 못한 수수료에 대한 우려가 있으시군요."

명료화 패러프레이징(Clarification Paraphrasing)

대화 도중 고객이 가족의 의료 비용에 대한 특별한 우려를 언급했다.

고객: "보험 상품이 가족의 의료 비용을 모두 포함하는지 확실하지 않아요."

"확인을 위해 제가 정확히 이해했으면 하는데요, 가족의 의료 비용을 포함하는 것을 보장받고 싶으시군요, 맞는지요?"

요약 패러프레이징(Summarizing Paraphrasing)

미팅 끝에 고객은 저렴한 가격, 포괄적인 보장 및 필요에 따라 조정할 수 있는 유연성을 포함한 기능에 대해서 언급했다.

고객: "저는 저렴한 가격, 포괄적인 보장을 제공하고 필요에 따라 조정할 수 있는 유연성을 갖춘 보험 상품을 찾고 있어요."

"요약하자면, 저렴한 가격뿐만 아니라 포괄적인 보장을 제공하고 필요에 따라 조정할 수 있는 유연성을 갖춘 보험 정책을 찾고 계신다는 것이 맞나요?"

패러프레이징을 효과적으로 활용함으로써 고객으로부터 듣고 있으며 고객의 우려와 우선 순위를 깊이 이해한 것을 보여주었다. 이로써 자신의 의견이 존중 받고 중요하게 생각된다는 느낌을 받았다. 이는 최종적으로 성공적인 판매로 이어졌다.

시사점

적극적인 청취(Active Listening): 패러프레이징을 사용하면 고객으로부터 경청 받고 있다는 것을 보여줌으로써 관계와 신뢰를 구축할 수 있다.

이해(Understanding): 패러프레이징을 통해 고객의 우려와 요구 사항을 명확하게 이해할 수 있다.

솔루션 맞춤화(Tailoring Solutions:): 패러프레이징을 사용하면 고객의 특정한 요구 사항과 우려에 맞게 프레젠테이션을 맞춤화할 수 있다.

고객 중심 접근(Customer-Centric Approach): 효과적인 패러프레이징은 고객 중심의 접근을 보여주며 전반적인 고객 경험을 향상시킬 수 있다.

"영업에서 패러프레이징은 단순히 말로 표현하는 것뿐만이 아니라
공감과 유대감을 나타내는 것이다."
미상(Unknown)

■ 패러프레이징(Paraphasing)의 대면영업 오용 사례들

✧ 잘못된 패러프레이징 사용

전화 통신 회사의 영업 대표인 A는 잠재 고객과 거래를 마무리하려고
했다. 통신 요금제에 숨겨진 수수료에 대한 우려가 있었지만, 고객의
우려를 해결하기보다는 어떻게든 판매를 하려고 했다.

부정적인 패러프레이징 기술(Negative Paraphrasing Technique):

"귀사의 통신 요금제에는 여러 수수료가 있다고 들었다. 모두 정확히
알고 싶네요."

"모든 수수료들에 대해 명확한 요금체계를 원하신다는 것을 이해합니
다. 안심하세요, 우리의 요금제는 명확하며 숨겨진 요금이 없어요."

기만적인 패러프레이징(The Deceptive Paraphrasing)

숨겨진 수수료 문제에 대한 대응 대신 고객의 우려를 숨겨진 요금이
없는 것처럼 만들기 위해 패러프레이징을 사용했다.

고객은 대답을 듣고 요금제에 동의했다. 그러나 첫 번째 청구서를 받았을 때, 판매 상담 중에 알려지지 않았던 여러 숨겨진 요금을 발견했다. 그는 속았다고 생각했고 분노했다.

시사점

정직이 중요(Honesty is Key): 패러프레이징을 사용하여 고객을 속이거나 기만하는 것은 신뢰 문제를 야기하고 영업 대표와 회사의 평판을 훼손시킬 수 있다.

고객 우려 해결(Address Customer Concerns): 패러프레이징은 고객의 우려를 이해하고 해결하기 위해 사용되어야 하며 고객을 조작하거나 속이기 위해 사용해서는 안 된다.

투명성이 중요(Transparency Matters): 고객은 투명성을 중요 시 한다. 수수료나 잠재적 문제에 대해서는 정직해야 한다.

장기적인 관계(Long-term Relationships): 장기적인 고객 관계 구축은 단기적인 이익보다 더 중요하다. 기만적인 영업전술은 이러한 관계에 해를 끼칠 수 있다.

패러프레이징을 부정적으로 사용하면 단기적인 판매가 이루어지지만 고객의 신뢰를 훼손하고 불만족을 초래한다. Paraphrasing은 항상 고객을 속이기 위해 아니라 의사 소통을 높이기 위해 윤리적으로 사용되어야 한다.

✦ 부적절한 개략적 표현의 오용

A는 부동산 대리인으로서 잠재적인 구매자와의 부동산 거래를 마무리하려고 노력하고 있었다. 부동산의 상태에 대한 우려를 표명하고, 재건축이나 수리가 필요한지 물었다.

잘못된 개략적 표현 기술(Misleading Paraphrasing Technique):

"집에 어떤 다른 문제나 이슈는 있나요?"

"아니요, 이 집은 거의 완벽한 상태입니다. 걱정할 것이 없어요. 즉시 이사할 수 있어요."

혼돈을 유발하는 개략적 표현(Deceptive Paraphrasing):

개략적 표현을 사용하여 고객이 집에 문제가 없다고 오해하게 했으며 실제로 중요한 문제가 있음에도 불구하고 부동산의 상태를 과장하여 거래를 마무리하려고 했다.

확언을 기반으로 부동산을 구입했으나 이사한 후 집의 중요한 구조적 문제와 비용이 드는 수리가 필요하다는 사실을 발견했다. 속았다고 느끼며 부동산 회사에 항의했다.

시사점

정직은 중요(Honesty Matters): 개략적 표현은 고객에게 정보를 전달하기 위한 도구로 사용되어야 하며 고객을 속이거나 오도하려고 사용해서는 안 된다. 신뢰를 구축하는 데에는 정직함이 중요하다.

기대치 관리(Managing Expectations): 부적절한 개략적 표현 대신 부동산의 상태를 정직하게 말하고 고객의 기대치를 관리하는 방법을 모색할 수 있었다.

장기적 명성(Long-Term Reputation): 부적절한 개략적 표현은 단기적 이익을 가져올 수 있지만 판매자의 평판을 손상시킬 수 있으며 장기적 비즈니스 관계에 해를 끼칠 수 있다.

윤리적 커뮤니케이션(Ethical Communication): 개략적 표현을 사용하여 고객의 우려를 명확하고 정직하게 설명하고 재확인하여 명확하고 윤리적인 커뮤니케이션을 목표로 해야 한다.

개략적 표현의 오용은 거래를 성사시켰지만 불만족스러운 고객과 전문적인 평판에 대한 잠재적 손상을 초래했다.

"패러프레이징의 예술을 숙달한 영업인은
우려를 기회로 변화시킬 수 있다."
제프리 지토머(Jeffrey Gitomer)

■ 패러프레이징(Paraphasing) 활용하는 효과적인 10가지 방법

능동적 청취(Active Listening)

패러프레이징은 상대방의 말을 능동적으로 듣고 그것을 본인의 말로

다시 표현하는 것을 의미한다.
상대방을 이해하겠다는 의지를 나타낸다.

예시: "우리는 성장에 따라 확장 가능한 솔루션을 원해요." "성장하면서 조직을 확장할 수 있는 솔루션을 찾고 계신 거죠?"

명확화(Clarification)

패러프레이징을 사용하여 모호하거나 복잡한 발언을 명확하게 해야 한다.
양 측이 대화 내용을 명확하게 이해하도록 보장한다.

예시: "프로젝트 일정에 대한 우려가 있습니다." "프로젝트 일정에 대한 우려가 있으신 거군요. 그 우려를 좀 더 구체적으로 얘기해주실 수 있을까요?"

공감 표현(Empathy)

패러프레이징을 사용하여 상대방의 감정이나 어려움을 인정하고 나타낼 수 있다.
상대방의 관점을 이해하고 신뢰를 구축한다.

예시: "현재 소프트웨어를 관리하는 게 정말 힘들어요." "현재 소프트웨어를 관리하면서 정말 여러 이슈와 난관들이 있으시군요."

맞춤화(Customization)

패러프레이징을 사용하여 상대방의 특정 요구 사항에 맞게 응답한다.
맞춤화 접근을 통해 상대방의 요구와 솔루션을 조율한다.

예시: "이메일 시스템과 연동이 되는 CRM 솔루션을 찾고 있어요." "이 메일 시스템과 원활하게 통합되는 CRM 솔루션을 찾고 계시다는 거죠?"

합의 구축(Building Consensus)

패러프레이징을 사용하여 대화 중 합의된 부분을 강조한다.
공통된 의견을 강조하고 상대방의 신뢰를 강화한다.

예시: "비용이 적절히 사용되는 것이 우리에게 중요해요." "비용 효율성이 중요하다는 점을 이해했습니다. 그것은 솔루션을 제공하므로 효율성을 최대화 했습니다"

반박 대응(Responding to Objections)

이의를 제기할 때 상대방의 의견을 듣고 그것에 대응하기 위해 패러프레이징을 사용한다.
의견에 공감하면서 이의를 극복하려는 의지를 보여준다.

예시: "학습 곡선이 높아 걱정이에요." "학습 곡선이 가파르다는 점이 걱정되는군요. 전환을 더 원활하게 만들기 위해 종합적인 교육을 제공하고 있습니다."

결심 요청(Gaining Commitment)

패러프레이징을 사용하여 헌신을 요청할 때 솔루션의 이점과 가치를 요약한다.
상대방에게 솔루션을 통해 얻게 될 가치를 강조한다.

예시: "저희 소프트웨어를 도입함으로써 프로세스를 최적화하고 생산성을 향상시킬 수 있습니다." "그래서 소프트웨어를 사용함으로써 효율성과 생산성을 향상할 수 있게 됩니다. 계약을 진행할 준비가 되셨나요?"

경쟁 상황 다루기(Handling Competitive Situations)

패러프레이징을 사용하여 경쟁사와 비교할 때 특별한 장점을 강조한다. 특장점을 강조하고 대안에 대한 상대방의 우려를 해소한다.

예시: "당신의 가격이 X 회사보다 높아요." "당사의 가격은 높을 수 있지만, 우수한 고객 지원을 제공하여 장기적으로 시간과 리소스를 절약하실 수 있습니다."

후속 조치 및 요약(Follow-up and Recap)

후속 이메일이나 대화에서 핵심 포인트를 요약하기 위해 패러프레이징을 사용한다.
중요한 세부 사항을 강조하고 누락되지 않도록 보장한다.

예시: (후속 이메일): "미팅에서 서로 다루었던 내용에 따르면, 비용 절감과 확장성을 최우선적으로 고려하고 계시죠."

장기적인 관계 구축(Building Long-Term Relationships)

패러프레이징은 상대방의 지속적인 요구 사항을 이해하는 데 공감을 나타내고 신뢰를 구축하는 데 도움이 된다.
거래만 하는 것이 아니라 장기적인 고객 관계를 유지하려는 의지를 나타낸다.

예시: "우리 이전 대화에서 신뢰성이 중요하다는 것을 기억하고 있습니다. 그 이후로 추가로 고려하고 계신 사항이 있나요?"

"패러프레이징은 메시지를 변경하는 것이 아니라
더 명확하고 효과적으로 표현하는 것이다."
미상(Unknown)

☞ 패러프레이징(Paraphasing) 멘트

고객 "비용 효율적이고 효율적인 제품이 필요합니다."
영업 담당자: "성능 저하 없이 큰 가치를 제공하는 솔루션을 찾고 계신 거죠?"

고객: "구현의 복잡성이 걱정됩니다."
영업사원: "구현하기 쉬운 사용자 친화적인 옵션을 찾고 계신 다는 말씀이군요?"

고객: "저희 예산에 맞는지 잘 모르겠습니다."
영업사원: "재정적 제약 조건에 맞는 솔루션을 찾는 것이 우선순위이신 거죠?"

고객: "비즈니스 성장에 따라 확장할 수 있는 솔루션이 필요합니다."
영업 담당자: "기본적으로 비즈니스 성장에 따라 확장 가능한 솔루션을

찾고 계신다는 말씀이신데, 제가 제대로 이해했나요?"

고객: "장기적인 지원과 서비스가 걱정됩니다."
영업사원: "제 말이 맞다면, 안정적이고 지속적인 지원을 받는 것이 이 결정을 내리는 데 중요한 요소라는 말씀이시죠?"

고객: "제품이 현재 사용 중인 시스템과 원활하게 통합되는 것이 중요합니다."
영업 담당자: "기존 인프라와의 원활한 통합이 중요하다는 말씀이시죠?"

고객: "상당한 투자 수익률을 어느 정도 확인해야 합니다."
영업사원: "높은 투자 수익을 보장하는 솔루션을 찾는 데 집중하고 계시는군요?"

고객: "환경 친화적인 옵션을 찾고 있습니다."
영업사원: "제품이 효과적일 뿐만 아니라 친환경적이어야 한다는 것이 중요한 부분이군요?"

고객: "사용과 유지 관리가 쉬운 제품이 필요합니다."
영업사원: "제가 올바르게 이해했다면 유지보수가 적은 사용자 친화적인 솔루션에 관심이 있으신 거죠?"

고객: "저희에게는 신뢰성은 타협할 수 없는 문제입니다."
영업사원: "제품의 신뢰성을 보장하는 것이 최우선 과제인 것 같군요, 그렇죠?"

■ 요약

패러프레이징은 다른 사람의 말의 본질을 유지하면서 바꿔 쓰는 것으로 효과적인 의사소통을 촉진한다.
다른 말로 표현함으로 적극적인 경청과 공감을 보여주고 상대에게 보답하려는 의무감과 의지로 이어지게 한다.
패러프레이징 기반의 질문으로 고객의 불만 사항과 요구사항을 명확히 확인하는데 유용하다.

■ 핵심키워드

패러프레이징(Paraphasing), 의역, 바꿔 말하기, 적극적 경청과 공감, 명확화, 합의 구축, 반박 대응, 장기적 관계

■ 적용 질문

패러프레이징가 설득과 영업에서 가지는 특징들은 무엇인가?
패러프레이징으로 설득과 영업에서 거둘 수 있는 기대효과는 무엇인가?
설득과 영업에서 패러프레이징을 효과적으로 활용할 수 있는 10가지 방법은 무엇이고 나에게 강화해야 할 요소는 무엇인가?

제 # 13 장

질문의 기술(Question)

———————≫≫◇≪≪———————

"질문은 설득을 위한 마법지팡이다."
닥터 브라이언(Dr. Brian)

질문의 기술(Question)

■ 개념

영업과 설득에서의 질문 기술은 질문을 전략적으로 활용하여 대화 상대나 잠재 고객을 설득의 장에 참여시키고 실질적인 욕구를 이해하며 결심에 이르도록 영향을 미치는 기법이다. 본래 질문이라는 것은, 인식과 지식 탐구 과정[76]에서의 핵심적인 요소로 사람이 인지하고 탐색하도록 하는 기본적인 원리인데 이를 소통과 영업에서 효과적인 전달과 설득의 언어학적[77] 도구의 기본원리로 활용되는 것이다. 적극적으로는 유도질문[78](Question Begging)의 형태로도 확장된다. 원하는 답변이나 결과를 전제하거나 가정하는 방식으로 논리적 프레임[79]으로 구성된 질문을 구사하는 기술이다.

주요 목표는 대화를 이끌어가고, 필요성과 우려를 파악하고, 관계를 구축하며 최종적으로 원하는 결과물, 예를 들어 구매를 하거나 제안을 수락하는 데 이끌어가는 것이다. 유도질문(Question Begging)은 본래 '안이한 전제'라는 뜻으로, 논리적 오류[80] 중 하나이며 간접적 전달 수단이기도 하다. 설득 기법 중 하나로, 상대방에게 논쟁을 막기 위해 미리 전제되어야 하는 사실을 미리 받아들이게 만드는 것이다. 예를 들어, "왜 이 색깔의 구두를 구입해야 할까요?"라는 질문에 대해 "

---

[76] "The Interrogative Model of Inquiry as a General Theory of Everything" by Peeter Müürsepp
[77] "The Pragmatics of Questions and the Slurs of Silence" by Kent Bach
[78] "Question-Begging and Epistemic Circularity" by Gilbert Harman
[79] "The Logic of Questions" by Nicholas Rescher
[80] "Fallacies and Argument Appraisal" Christopher W. Tindale

이 구두는 누가 봐도 예쁘지요!" 라고 답하는 것은 질문을 회피하는 것이다. 이러한 답변은 이미 구두가 아름다운 것이라는 것을 전제로 하고 있다. 이와 같이, 내포된 맥락[81]에서 질문의 전제를 미리 받아들이게 만들어, 상대방의 반박을 불가능하게 만드는 것이 유도질문 (Question Begging)의 특징이다. 따라서, 이 기법은 반박이 불가능한 논쟁의 형태를 취할 수 있기 때문에, 비판[82]을 막고, 상대방을 속이는데 이용될 수 있다. 또한 '질문을 거듭하는 것'으로, 이미 상대방이 받아들이기로 한 전제를 계속해서 반복하는 방법이다. 예를 들어, "왜 이 옵션을 선택하지 않겠어요? 이 옵션은 매우 좋은 선택지인데요." 와 같이 이미 옵션을 선택하지 않을 이유가 없는 상황에서도 선택하지 않겠다는 이유를 묻는 질문을 반복하는 것이다. 이는 상대방이 이미 받아들인 전제를 더 강조함으로써 상대방의 의사결정을 이끌어내는 방법이다. 이러한 방법은 상대방이 충분한 근거가 없이 이미 받아들인 전제를 계속 강조함으로써 오해를 유발할 수도 있으므로 사용에 주의가 필요하다. 판매나 설득 과정의 신뢰성을 떨어뜨리는 논리적 오류로[83], 상대방을 진정으로 참여시키지 않고 조작적인 것으로 인식될 수 있다.

질문의 기술을 적절히 구사하면, 원하는 응답이나 결과를 장려하는 방식으로 대화를 이끄는 데 사용되는 잘 구성된 질문을 전략적으로 활용하는 기술로 활용할 수 있다. 제품이나 제안의 가치를 인식하게끔 설계되며, 결국 상대방의 시각을 제시된 혜택과 조화롭게 만드는 데 효과적이다.

---

[81] "Questions and Answers in Embedded Contexts" by Craige Roberts

[82] "Critical Thinking: A User's Manual" Debra Jackson and Paul Newberry

[83] "The Fallacy of Begging the Question" by William L. Reese (1970), "Critical Thinking: The Nature of Critical and Creative Thought" by Daniel J. DeWispelare (2016)

"질문은 심리의 비밀 문들을 열게 하는 열쇠이다."
클라리사 핑콜라 에스테스(Clarissa Pinkola Estés)

■ 핵심 요소

개방형 vs 폐쇄형 질문 : 영업과 설득에서는 개방형 및 폐쇄형 질문을 혼용하는 것이 중요하다. 개방형 질문은 상대방이 자세한 답변을 제공하도록 유도하며 가치 있는 정보와 통찰력을 수집하는 데 도움이 된다. 반면 폐쇄형 질문은 종종 예/아니오 또는 간단한 답변을 가져오며 이해를 확인하거나 대화를 전개하는 데 사용될 수 있다.

능동적 청취 : 효과적인 질문은 능동적인 청취를 필요로 한다. 상대방의 응답에 주의 깊게 주목하고, 응답에 대한 후속 질문을 사용하여 상대방의 생각, 필요 및 이의를 더 깊이 파고들도록 한다. 이는 상대방의 의견을 존중하고 그들의 우려를 진지하게 다루고 있다는 것을 보여준다.

문제 식별 : 숙련된 질문은 잠재 고객이나 상대방이 직면한 고통 포인트나 과제를 식별하는 데 도움을 준다. 현재 상황이나 필요에 관한 탐구적인 질문을 통해 당신의 제품이나 서비스가 문제를 해결할 수 있는 솔루션으로 인식하도록 한다. 이로써 제품을 그저 제품이 아니라 해결책으로 각인시킨다.

특징 대 혜택 : 질문을 사용하여 제품의 특징을 논의하는 것에서 혜택을 강조하는 것으로 전환한다. 예를 들어 "저희 제품의 고급 기능에 관심이 있으신가요?" 대신 "이러한 고급 기능을 가지고 있으면 어떻게 시간을 절약하고 업무 효율을 향상시킬 수 있을까요?" 와 같은 질문을 할 수 있다.

이의 처리 : 잠재 고객이 이의나 우려 사항을 제기할 때, 명확한 질문을 통해 그들의 이의 근본을 이해할 수 있도록 한다. 한 번 이해되면 그들의 우려를 효과적으로 해결하기 위해 응답을 맞춤화할 수 있다.

관계 구축 : 숙련된 질문은 상대방과의 신뢰감을 유도한다. 사람들이 자신의 의견에 대해 이해 받았다는 느낌을 받을 때, 그들은 당신의 메시지나 제안을 받아들일 가능성이 높아진다.

맞춤형 솔루션 : 효과적인 질문을 사용하면 제품 또는 서비스를 개별의 독특한 필요와 선호도에 맞게 맞춤화할 수 있다. 이 맞춤화는 성공 가능성을 높이다.

저항 극복 : 이의나 우려 사항이 제기될 때, 질문을 통해 효과적으로 저항을 극복할 수 있다. 이는 원활한 영업 프로세스와 더 높은 전환율로 이어질 수 있다.

설득력 강화: 질문은 잠재 고객의 사고 과정을 이끌어내어 당신이 원하는 결과와 일치하는 결론에 도달할 가능성을 높인다. 개인이 스스로 결론을 내리면 그 결론을 준수하기 쉬워진다.

지속적인 개선 : 영업 전문가는 상호 작용에서의 피드백과 데이터를 사용하여 시간이 흐름에 따라 질문 기술을 개선할 수 있다. 이 지속적인 개선은 영업 효율성과 성공률을 높일 수 있다.

전략적 탐구 : 신중하게 질문을 구성함으로써 영업인과 설득자는 대화를 제품이나 제안의 장점과 혜택을 강조하는 주제로 이끌 수 있다.

공감적 이해 : 질문을 구성하기 전에 잠재 고객의 필요와 우려를 이해하는 것을 포함한다. 이 공감적 이해를 통해 개별의 특정 상황과 resonance(공감)하는 질문을 만들 수 있으므로 제안서 또는 제품에 대한 수용성이 향상된다.

일치감 형성 : 긍정적인 방식으로 질문을 제기함으로써 목표는 잠재 고객의 목표와 욕구와 일치하도록 하는 것이다. 이러한 질문은 해당 사람이 제안된 해결책이나 제품이 그들의 최선의 이익에 부합한다는 것을 깨달을 수 있도록 설계되어 있으며 조작이 아닌 협력 관계를 유도한다.

신뢰 구축 : 긍정적으로 질문을 구성하면 잠재 고객에게 신뢰감을 심어줄 수 있다. 질문이 제품이나 제안의 강점과 이점을 강조하면, 잠재 고객은 자신의 결정에 대한 확신을 가지게 되며 활기찬 심리 상태를 유지할 가능성이 높아진다.

관계 강화 : 긍정적으로 질문을 제기함으로써 판매인 또는 설득자와 잠재 고객 간의 관계와 협력감을 증진시킨다. 개인들이 자신의 관점이 존중된다는 느낌을 받을 때, 건설적인 대화에 참여할 가능성이 더 높아진다.

수용성 향상 : 긍정적인 질문은 잠재 고객이 전달되는 메시지에 더 수용적으로 반응할 수 있도록 도와준다. 질문을 잠재 고객의 관심사와 필요에 부합하도록 조정하면 제안의 관련성과 가치를 더 잘 인식할 수 있다.

효과적인 설득 : 긍정적인 방식으로 전략적 질문을 사용하면 설득력 있는 도구로 활용할 수 있다. 이를 통해 판매인과 설득자는 잠재 고객을 자신의 최선의 이익과 일치하는 결론에 이끌어, 그들로 하여금 동의하고 행동을 취할 가능성을 높일 수 있다.

장기적 관계 : 긍정적인 질문 기술은 고객 또는 이해관계자와의 장기적 관계 구축에 기여한다. 이해관계의 이익을 조화시키고 일치시키는 데 초점을 맞추면 신뢰와 충성을 구축할 수 있다.

자신감 증대 : 질문이 제안 또는 제품의 긍정적인 측면을 강조할 때, 잠재 고객은 결정에 대한 자신감을 느낄 가능성이 높아져 신속하고 단호한 조치를 취할 수 있다.

윤리적 고려사항 : 판매와 설득에서 윤리적 고려는 중요하다. 고객이나 이해관계자와의 장기간 관계를 구축하는 것은 종종 정직하고 투명한 의사 소통을 필요로 한다.

영업과 설득에서의 질문 기술은 신중하고 전략적인 질문을 사용하여 상대방을 이해하고 참여시키며 긍정적으로 영향을 미치는 것이다. 효과적인 질문은 더 나은 관계, 수용성 향상, 효과적인 설득, 장기적인 관계 및 자신감 증대로 이어지고 더 높은 설득력을 도모하며 다양한 맥락에서 성공적인 결과에 기여한다.

"질문의 질이 삶의 질을 결정한다."
토니 로빈스(Tony Robbins)

■ 질문의 기술 활용 긍정적 사례

✧ 소프트웨어 솔루션 영업

A는 경험 많은 영업 대표로, 회사의 소프트웨어 솔루션을 고려 중인 잠재 고객인 B와 만나기로 했다. 비즈니스 필요성을 더 잘 이해하기 위해 대화를 시작했다. 제품의 특징을 즉시 설명하지 않고 다음과 같은 개방형 질문을 했다:

"회사의 현재 도전 과제와 목표에 대해 더 자세히 얘기해주실 수 있을까요?"
"소프트웨어 솔루션을 통해 어떤 작업이나 프로세스를 개선하고 싶으십니까?"
"이상적인 소프트웨어 솔루션이 팀에 어떤 이점을 제공할 것으로 기대하십니까?"
응답을 주의 깊게 듣고, 고통 포인트와 목표를 더 깊이 파악하기 위해 그에 따른 후속 질문을 세웠다. 그는 요구 사항을 완전히 이해했는지 확인하기 위해 질문을 더 했다.

요구 사항을 명확히 파악한 후, 그는 소프트웨어 솔루션이 회사의 독특한 도전 과제를 어떻게 해결하고 목표를 달성하는 데 도움을 줄 수 있는지에 대한 프레젠테이션을 구성했다. 그는 사라와의 회의 중에 계속해서 참여하도록 유도하기 위해 질문을 전략적으로 사용했다:

"우리가 지금까지 논의한 내용을 기반으로 소프트웨어가 현재 프로세스를 어떻게 효율화시킬 수 있는지 상상하실 수 있나요?"
"저희 솔루션의 어떤 측면이 귀하의 비즈니스 목표와 공감되나요?"
"더 자세히 탐구하고 싶은 부분이나 해결하고 싶은 우려 사항이 있으신가요?"

회사의 성공을 진심으로 걱정하며 맞춤형 솔루션을 제공하려는 것을 느꼈다. 이 접근 방식은 강요적인 영업 전달이 아닌 협력적인 파트너십 느낌을 조성했다.

신뢰 구축: 효과적인 질문은 잠재 고객과의 신뢰와 화합을 구축한다. 고객의 요구 사항을 이해하려는 진정한 관심을 나타내면 신뢰성이 강화된다.

맞춤형 솔루션: 신중한 질문을 통해 구체적인 고통 포인트와 목표를 발견하고 고객의 고유한 요구 사항을 충족시키기 위해 제품을 맞출 수 있다.

향상된 의사 소통: 숙련된 질문 기술은 양방향 의사 소통을 촉진한다. 고객을 대화에 능동적으로 참여하도록 유도하여 정보 교환을 더 의미 있게 만든다.

고객 전환율 증가: 고객의 특정 요구 사항과 우려 사항을 다루면 영업인은 잠재 고객을 만족한 고객으로 전환할 가능성을 높일 수 있다. 고객이 자신의 우려가 철저히 다루어질 때 결정을 내리는 경향이 높다.

장기적인 관계: 고객의 변화하는 요구 사항을 이해하기 위해 질문 기술을 사용하면 장기적이고 상호 이익적인 관계를 구축할 수 있다. 고객 피드백을 기반으로 접근 방식을 지속적으로 조정할 때 반복 비즈니스와 추천을 확보할 수 있다.

시사점: 효과적인 질문 기술을 사용하여 사라와의 신뢰 관계를 구축했으며, 성공적인 판매와 장기적인 협력 가능성을 창출했다. 이것은 대면

영업에서 전략적인 질문의 힘과 관련된 긍정적인 시사점을 보여주며 양측에게 긍정적인 영향을 미치는 것을 보여준다.

✧ 인테리어 가구 영업

A는 가구 회사의 영업 대표로, 새 집을 꾸미려는 B부부와의 미팅을 가졌다. 바로 다양한 가구 세트를 소개하기보다는 그들의 선호도와 필요 사항을 이해하기 위해 질문을 시작했다:

"새 집 인테리어에 어떤 스타일이나 테마를 생각하고 계신가요?"
"가구로 꾸밀 특정한 방이 있나요?"
"가구에 대한 색상이나 재료 선택에 관한 구체적인 생각이 있으신가요?"
현대적이고 미니멀한 인테리어에 중립적인 색상과 친환경 재료에 중점을 둔다는 비전을 공유했다. 그들의 선호도를 주의 깊게 듣고 정확한 요구 사항을 파악하기 위해 추가 질문을 했다.

대화가 진행되면서 그들에게 가구 선택 과정을 안내하기 위해 질문을 사용했다:

"스타일 선호도를 고려하면 '현대 컬렉션'을 고려해보셨나요? 이것은 현대적 인테리어 감각이 적용되었습니다."
"다루고 싶은 특정한 가구 조각, 예를 들면 식탁이나 소파 같은 것을 좀 더 자세히 살펴보고 싶으신가요?"
"거실 배치에 대해 생각해보셨나요? 우리에게는 여러분의 관심을 끌 수 있는 공간 절약 솔루션도 있습니다."
이러한 특정 질문을 통해 그들의 비전과 요구 사항과 일치하는 가구

조각을 좁히도록 도왔다. 그들의 응답을 기반으로 통찰과 제안을 제공하여 선택 프로세스를 더 쉽고 즐겁게 만들었다.

맞춤형 추천: 효과적인 질문을 통해 영업인은 고객의 선호도와 요구 사항을 기반으로 맞춤형 추천을 제공할 수 있다.

고객 만족도 증대: 고객을 의사 결정 과정에 적극적으로 참여시킴으로써 영업 대표는 고객의 만족도를 향상시킬 수 있으며 그들이 자신의 욕망과 일치하는 선택을 하도록 돕는다.

효율적인 의사 결정: 잘 구성된 질문은 고객이 자신의 기준과 일치하는 옵션으로 안내하여 효율적으로 의사 결정을 내릴 수 있도록 돕는다.

영업 프로세스 개선: 질문 기술은 영업 프로세스를 효율적으로 만들어 모두에게 원활하고 즐거운 경험을 제공할 수 있다.

신뢰 구축: 고객은 그들의 요구 사항을 이해하려는 시간을 내주는 것을 감사히 여기며, 이로 인해 더 강한 신뢰와 신뢰성을 형성할 수 있다.

시사점 : 능숙한 질문 기술은 다윗과 리사에게 만족스러운 가구 선택 프로세스를 안내했다. 이것은 맞춤형 추천과 효율적인 의사 결정의 힘을 보여주며 대면 영업에서 고객의 만족도와 긍정적인 판매 경험에 대한 긍정적인 결과를 나타낸다.

✧ IT 인프라 업그레이드 영업

경험 많은 영업 대표인 A는 잠재적인 고객인 B와 만나게 되었다. 회사의 IT 인프라를 업그레이드하려는 관심을 표명했지만, 전환 프로세스와 비즈니스 운영에 미치는 잠재적인 중단에 대한 우려가 있었다.

B의 우려를 이해하고 IT 업그레이드의 이점에 대한 사고를 이끌어내기 위해 설계된 유도질문으로 대화를 시작했다:

" 더 효율적인 IT 시스템이 회사의 일상 영업을 어떻게 간소화하고 시간과 자원을 절약할 수 있는지 상상해 볼 수 있을까요?"
"업그레이드의 장기적인 이점, 예를 들어 향상된 보안 및 확장성을 고려해 보셨나요?"
"현재의 IT 인프라로 직면한 구체적인 도전 과제는 무엇이며, 그것들을 어떻게 해결하길 원하십니까?"
이러한 방식으로 질문을 구성함으로써 IT 업그레이드의 긍정적인 결과를 상상하도록 유도하려고 했다. 이에 대한 응답으로 생산성 향상, 다운 타임 감소 등의 잠재적 이점과 해결해야 할 구체적인 문제에 대해 이야기하기 시작했다.

대화가 진행됨에 따라 계속해서 유도질문을 전략적으로 활용했다:

"우리가 논의한 이점을 고려하면 귀하의 팀이 더 안정적인 IT 시스템을 감사하게 생각할 것 같나요?"
"귀하가 언급한 도전 과제를 고려하면 업그레이드된 IT 솔루션의 기능을 더 자세히 살펴보는 것이 합리적일까요?"
"이 IT 업그레이드가 다음 몇 년 동안 회사의 성장에 긍정적인 영향을 미칠 것으로 생각하십니까?"
대화가 진행됨에 따라 IT 업그레이드를 긍정적인 투자로 간주하게 되었고, 회사에 대한 가치 있는 투자로 보게 되었다.

긍정적인 프레임: 유도질문 사용을 통해 알렉스는 초기 우려 사항 대신 잠재적인 이점과 해결책을 강조하여 대화를 프레임화했다.

설득 효과: 유도질문은 사라의 사고 과정을 부드럽게 긍정적인 방향으로 이끌어내어 IT 업그레이드를 해결책으로 고려할 가능성을 높였다.

이의 제기 처리: 이 기술은 이의를 다루는 데 도움을 주었으며, 잠재적인 이점과 해결책을 탐색하도록 유도하여 건설적인 대화로 이어졌다.

수용성 향상: 대화를 유도하면서 아이디어를 수용하고 반대를 최소화했다.

정보에 기반한 결정: 잠재적 이점과 해결책에 대한 포괄적인 이해를 가지게 되어 더 많은 정보를 바탕으로 더 나은 결정을 내릴 수 있었다.

시사점: 유도질문 기술을 효과적으로 활용하여 잠재적으로 어려운 대화를 나열하고 IT 인프라 업그레이드의 이점을 설득했다. 이것은 대면

영업에서 전략적인 질문의 힘과 이의 제기를 다루고 수용성을 향상시키는 데의 시사점을 보여주며, 최종적으로 성공적인 결과로 이어졌다.

✧ 고급 스포츠카 영업

A는 고급 자동차 딜러쉽의 영업 대표로, 고객인 B가 고급 스포츠카를 구매하는 것을 고려 중인 경우를 돕고 있었다. 관심을 표시했지만 이러한 중요한 구매를 고민하고 있었다.

자동차에 대한 혜택과 특징을 강조하고 유도질문을 하면서 대화를 시작했다:

"이 고급 스포츠카를 운전하면 특히 강력한 엔진과 세련된 디자인으로 어떻게 느끼게 될 것 같나요?"
"이 아름다운 차에 타고 다닐 때 친구들과 동료들로부터 어떤 주목과 찬사를 받게 될 것 같은지 생각해보셨나요?"
"이처럼 고성능 차량을 소유하면 어떤 생활을 상상하시나요?"
이러한 방식으로 질문을 구성함으로써 상상력과 자동차에 대한 욕망을 자극하고자 했다. 이 차량을 운전하는 즐거움과 연관된 명예에 대해 이야기하기 시작했다.

대화가 계속됨에 따라 사라는 전략적으로 유도질문을 계속 사용했다:

"이 차량의 탁월한 안전 기능을 고려할 때 자신감 있게 운전할 수 있다는 생각이 드시나요?"
"고급 스포츠카를 소유하면 귀하의 비전과 라이프스타일과 어떻게 부합될 것으로 보시나요?"
"제공하는 다양한 결제 옵션에 대해 논의해보겠다. 다양한 결제 계획에 얼마나 편안하신가요?"

유도질문을 사용하여 우려 사항을 다루고, 차량의 특징을 강조하며, 구매를 그의 욕망과 라이프스타일에 부합하도록 조율했다.

감정적 연결: 유도질문을 사용함으로써 고객과 차량 사이에 감정적 연결을 만들었으며, 그의 욕망과 감정을 자극했다.

혜택 강조: 유도질문을 사용하여 차량의 혜택을 강조했으며, 구매의 가치를 보여주어 존이 더욱 가치 있는 결정을 내릴 수 있도록 도왔다.

고민 해소: 이 기술을 사용하여 고민 사항을 다루고 긍정적인 측면을 강조함으로써 그의 고민을 덜어주었다.

욕망 형성: 존이 차량을 소유하고 싶어하는 욕망을 형성하도록 돕기 위해 그를 상상하도록 유도하는 질문을 사용했다.

판매 성공: 대화 종료 시점에서 차량에 대한 열정을 더 높이고 결제 옵션을 논의할 준비가 되었다.

시사점: 유도질문 기술을 효과적으로 활용하여 고급 스포츠카의 혜택과 매력을 설득했다. 이것은 감정적 연결과 고민 해소를 대면 영업에서 어떻게 활용할 수 있는지를 보여주며, 최종적으로 성공적인 결과와 만족스러운 고객을 이끈 사례이다.

"질문은 지성의 창조적인 행위이다."
프랭크 킹던(Frank Kingdon)

■ 질문의 기술 활용 부정적 사례

✦ 소프트웨어 영업

소프트웨어 회사의 영업 대표인 A는 잠재 고객인 B와 미팅하였다. 그들의 제품에 관심을 표시했지만 가격에 대한 우려가 있었다.우려를 다루거나 의심을 완화할 정보를 제공하는 대신, 부정적인 질문 기술을 사용했다:

"우리 소프트웨어에 투자하지 않을 경우 어떤 결과가 발생할 수 있는지 상상해보셨나요? 경쟁사가 사용하는 도구를 갖지 않을 때의 결과를 생각해보세요."

"당신의 현재 구식 소프트웨어로 인해 얼마나 많은 시간과 비용을 낭비하고 있는지 생각해보셨나요? 우리 솔루션은 그 문제를 해결할 수 있습니다."

"결정을 내릴 때 무엇이 당신을 막고 있나요? 대부분의 성공적인 비즈니스를 위해서 우리가 제공하는 가치를 주저하지 않습니다."

질문은 부정적이고 대립적인 방식으로 구성되어 방어적인 입장으로 몰아넣고 불편하게 만들었다.

우려감 증가: 부정적인 질문 기술은 우려를 해소하는 대신에 높여놓았다. 협력적인 대화가 아닌 대립적인 분위기를 만들었다.

신뢰 상실: 대립적인 질문을 사용함으로써 신뢰를 훼손시켰다. 어떤 영업 관계에서도 신뢰는 중요하며, 이러한 접근은 이를 손상시켰다.

고객 참여 부진: 방어적이고 불편한 상태에 놓인 대화에서 이탈하게 되어 소프트웨어를 고려할 가능성을 줄였다.

기회 놓침: 가격에 대한 우려를 다루고 가치 중심의 설명을 제공하는 기회를 놓쳤으며, 이는 성공적인 판매의 기회를 놓치게 한 것이다.

부정적인 브랜드 인식: 부정적인 경험을 통해 회사 전체에 대한 인식에 영향을 미칠 수 있으며, 잠재적인 향후 비즈니스에도 영향을 미칠 수 있다.

시사점: 부정적인 질문 기술은 영업 대화에 부정적인 영향을 미쳤다. 우려를 다루지 않고 대립적인 접근을 사용하여 이의를 높여놓고 신뢰를 훼손하며, 최종적으로 성공적인 판매 기회를 놓치게 한 것이다. 이것은 대면 영업에서 긍정적이고 건설적인 질문 기술을 사용하여 신뢰를 구축하고 이의를 효과적으로 다루는 중요성을 강조한다.

✧ 가구 매장 영업

가구 매장의 영업 대표인 A는 잠재 고객인 B를 설득하여 비싼 거실 가구 세트를 구매하도록 하려고 노력했다. 그러나 B의 선호도를 이해하고 맞춤형 추천을 제공하는 대신, 부정적인 유도질문을 사용했다:

"당신은 현재 가구가 구식이고 낡아 보이지 않는다고 생각하지 않나요? 우리의 거실 가구 세트로 개선이 되지 아니겠어요?"

"당신은 이전 소파가 얼마나 불편해졌는지 못 느꼈나요? 우리의 새로운 세트는 훨씬 더 편하지 않을까요?"

"당신은 이 가격이 예상보다 비싸더라도 이런 고급 거실 가구 세트는 투자할 가치가 있다고 동의하지 않으시나요?"

A의 질문은 부정적으로 구성되어 있었으며, B의 현재 가구에 대한 불만을 인정하도록 압박하고 비싼 구매에 동의하도록 유도하려고 했다.

분노와 방어감: 부정적인 유도질문은 방어적이고 분노스러운 기분을 불러일으켰으며, 현재 가구에 대한 불만을 인정하기 위해 압박 받는다고 느꼈다.

신뢰 저해: 이런 질문 접근 방식으로 매장의 진실성에 대한 신뢰를 훼손시켰으며, 이후 매장과의 신뢰관계에 영향을 미칠 수 있었다.

고객 참여 부진: 부정적인 질문은 대화에서 격리시키는 결과를 가져와 판매 촉구에 덜 반응하도록 만들었다.

판매 기회 상실: 가구를 구매하는 데 관심이 있을 수 있었지만, A의 접근 방식은 낙담시키고 판매 기회를 놓치게 할 수 있다.

부정적인 평판: 부정적인 경험은 부정적인 입소문을 낳을 수 있으며, 매장의 평판을 손상시킬 수 있다.

요약: 유도질문 기술의 부정적인 사용은 판매 대화에 해로운 영향을 미쳤다. 요구 사항을 이해하고 가치 중심의 추천을 제공하는 대신, 이러한 접근 방식은 분노를 불러일으키고 신뢰를 훼손하며 판매 기회를 상실할 가능성을 야기했다. 이것은 대면 영업에서 윤리적이고 긍정적인 질문 기술을 사용하여 신뢰를 구축하고 성공적인 거래를 촉진하는 중요성을 강조한다.

✧ 통신사 영업

통신 회사의 영업 대표인 A는 잠재 고객에게 자신의 휴대전화 요금제를 업그레이드하도록 설득하려고 노력했다. 명확한 정보를 제공하거나 밥의 우려를 다루지 않고 부정적인 질문을 구실로 하는 기술을 사용했다:

"우리의 프리미엄 요금제로 업그레이드 하는 것이 옳은 선택임이 분명하지 않나요? 모든 훌륭한 기능을 놓치고 싶지 않으실 거 아니죠?"

"당신은 분명히 우리의 경쟁사가 우리의 서비스 품질을 따라갈 수 없다는 것을 이해했죠. 다른 요금제로 변경하는 것은 실수일 것 같지 않나요?"

"당신의 돈으로 최고의 서비스를 찾는 사람들을 위한 완벽한 선택이 우리의 프리미엄 요금제라고 동의하지 않으세요? 이것은 분명 현명한 선택입니다."

A의 질문은 자신의 의견에 동의하도록 조종하고 다른 합리적인 선택이 없는 것처럼 느끼게 하려는 목적으로 설계되었다.

고객 저항감: 압박적이고 조종적인 접근으로 밥은 그의 제안에 저항감을 느꼈다. 그는 자신의 우려가 다루어지지 않는 것 같이 느껴졌다.

신뢰 훼손: 질문을 부정적으로 활용한 것은 신뢰를 훼손시켰다. 강압적이고 불성실한 판매 대표로 인식했다.

기회 상실: 명확한 정보를 제공하고 고객의 우려를 다루는 대신 조종적인 접근 방식을 사용하여 판매 기회를 놓칠 가능성이 높았다.

고객 불만족: 영업적 소통에 대한 불만은 고객 만족도를 낮출 수 있으며, 회사의 평판에 영향을 미칠 수 있다.

판매 상실: 부정적인 접근 방식은 아마도 조종적인 전술 때문에 요금제를 업그레이드 하지 않기로 결정한 판매 기회의 상실로 이어졌을 것이다.

시사점: 부정적인 기술은 판매 대화에 해로운 영향을 미쳤다. 우려를 다루고 명확한 정보를 제공하는 대신, 조종적인 접근 방식은 저항감을 일으키고 신뢰를 훼손시키며 판매 기회를 놓칠 가능성이 높았다. 이것은 대면 영업에서 윤리적이고 긍정적인 의사소통 기술의 중요성을 강조한다.

"사람의 마음에 있는 모략은 깊은 물 같으니라
그럴지라도 명철한 사람은 그것을 길어 내느니라"
잠언 20:5

■ 질문의 기술 활용 방법 10가지

개방형 질문(Open-Ended Questions)

단순한 "예" 또는 "아니오" 대답을 피하고 상세한 답변을 유도한다. 개방형 질문은 깊은 대화를 촉진하여 더 많은 정보를 수집하고 상대방의 필요를 더 잘 이해할 수 있게 도와준다.

예시: "다가오는 해에 당신의 비즈니스 목표는 무엇인가요?"

탐색 질문(Probing Questions)

상대방의 필요와 도전 과제에 대한 추가 정보를 파악하기 위해 사용된다. 탐색 질문은 고객의 고통 포인트와 기회를 파악하고 솔루션을 효과적으로 맞춤화하는 데 도움이 된다.

예시: "귀사의 현재 소프트웨어로 겪는 도전 과제에 대해 더 자세히 얘기해주실 수 있을까요?", "귀하의 상황으로 볼 때 [기능]이 어떤 영향을 미칠 것이라고 생각하시나요?"

가정 질문(Hypothetical Questions)

고객이 제품 또는 서비스의 혜택을 상상하도록 하기 위해 가상 시나리오를 제시한다. 가정 질문을 통해 고객은 제공되는 가치를 시각화할 수 있으므로 더 매력적으로 느낄 수 있다.

예시: "만약 당사 제품이 작업 비용을 20% 절약할 수 있다면, 예산에 어떤 영향을 미칠 것 같나요?", "...을 달성할 수 있다면 그것은 당신에게 무엇을 의미할까요?"

명확화 질문(Clarifying Questions)

상대방의 발언이나 필요를 명확히 이해하기 위해 사용된다. 고객이 자신의 요구 사항을 고려하도록 유도하여 솔루션을 위한 문을 열어준다. 명확성은 효과적인 의사소통에 중요하며, 명확화 질문은 오해를 방지한다.

예시: "'효율성 문제'라는 말씀하신 내용을 명확히 설명해주실 수 있을까요?", "...로 인해 어려움을 겪은 적이 있나요?"

감정적 질문(Emotional Questions)

고객의 감정과 동기에 접근하여 더 깊은 연결을 만든다. 이러한 접근 방식은 공감을 촉진하고 공유된 문제를 기반으로 연결을 생성한다. 감정적인 반응을 불러일으켜 솔루션을 더욱 매력적으로 만든다. 감정적 A는질문은 고객과의 관계를 더 깊게 형성하고 개인적인 연결을 확립하는 데 도움이 된다.

예시: "업무 프로세스를 간소화하고 스트레스를 줄일 수 있는 솔루션을 마침내 갖게 된다면 어떤 느낌일까요?", "어떨 때 좌절감을 느껴본 적 있으신가요...?", "드디어 [도전]을 극복한 기분이 어떤가요?"

소크라틱 질문(Socratic Questions)

상대방이 스스로 결론에 도달하도록 하기 위해 자문과 질문을 통해 비판적 사고와 자기 발견을 촉진한다. 소크라틱 질문은 고객이 문제 해결에 적극적으로 참여하도록 도와 영업 제안을 더욱 수용할 만한 상태로 만든다.

예시: "이 문제를 해결하는 가장 효과적인 방법은 무엇일 것 같나요?"

유도형 질문 (긍정적) (Leading Questions (Positive))

긍정적으로 제시된 질문은 긍정적인 응답을 유도하기 위해 사용된다. 잠재 고객이 업계 전문성과 권위를 인정하도록 유도하는 것도 효과적이다. 고객이 솔루션의 성공을 시각화하도록 장려한다. 긍정적인 유도형 질문은 제품 또는 서비스에 대한 긍정적인 인식을 형성하는 데 도움이 된다.

예시: "우리 제품의 기능이 인상적이고 귀사의 요구와 일치한다고 생각하지 않으실까요?", "[업계 선두]가 유사한 전략을 사용하는 것을 본 적이 있습니까?", "... 혜택을 받기 시작하는 가장 좋은 시기는 언제입니까?", "다음과 같은 경우 귀하의 생활/사업이 어떻게 개선될지 상상할 수 있습니까?"

유도형 질문 (부정적) (Leading Questions (Negative))

부정적으로 제시된 질문은 상대방의 현재 솔루션이 불만족스러운 것처럼 암시한다. 부정적 유도형 질문은 고객이 현재 솔루션을 재고하도록 유도하며, 제품 또는 서비스로의 입구를 열 수 있다.

예시: "당신의 현재 소프트웨어가 기대한 결과를 제공하지 않을 때 분명히 실망스러울 것 같지 않나요?"

역전형 (이의제기형) 질문 (Reversal Questions)

상대방의 가정이나 이의를 역전시키는 방식으로 도전한다. 우려사항을 해결하는 질문을 하여 반대 의견을 선제적으로 대응하는 효과도 있다. 솔루션의 혜택과 이점을 간접적으로 비교하는 기능도 있다.

역전형 질문은 고객에게 이의나 우려를 다른 각도에서 재고하도록 유도한다.

미래형 질문(Trial Close Questions)

체험판종료의 개념으로 고객이 다음 단계로 나아갈 준비가 되었는지를 확인하기 위해 사용된다. 고객이 판매 과정의 다음 단계를 얼마나 진행하고자 하는지를 평가하는 데 도움이 된다.

예시: "우리의 대화를 기반으로 보면 당신의 요구와 우리의 솔루션이 일치하는 것 같나요?", "만약 당사의 가격 정책이 시간이 지남에 따라 돈을 절약할 수 있는 방법이라고 말한다면 어떨까요?", "[경쟁사의 기능]보다 [이점]을 제공하는 솔루션을 선호하지 않습니까?"

시사점

영업 전문가가 효과적으로 고객과 상호작용하고 필요를 파악하며 이성적인 결정을 내릴 수 있도록 포괄적인 도구 상자를 제공한다. 이러한 기술들을 구체적인 맥락과 고객의 성향 및 필요에 맞게 적응하고 결합하는 것이 성공적인 영업과 설득의 핵심이다.

"질문을 하는 기술은 모든 지식의 원천이다."
토마스 버거(Thomas Berger)

☞ 질문의 기술(Question) 멘트

"현재 비즈니스에서 직면하고 있는 주요 과제는 무엇인가요?"
고객의 불만 사항을 파악하는 데 도움이 된다.

"이 문제를 신속하게 해결하는 것이 얼마나 중요한가요?"
긴급성을 측정하고 요구의 우선순위를 정한다.

"저희 제품이 어떤 방식으로 도움이 될 수 있다고 생각하십니까?"
고객이 제품의 영향력을 시각화하도록 유도한다.

"염두에 두고 있는 이상적인 솔루션을 설명해 주시겠습니까?"
고객의 기대치를 이해하고 맞춤형 프레젠테이션을 할 수 있도록 도와준다.

"과거에 유사한 제품이나 서비스를 사용해 본 경험이 있으신가요?"
고객의 선호도와 과거 결정에 대한 인사이트를 제공한다.

"이와 같은 솔루션이 성공적으로 구축되면 어떤 점이 좋아질까요?"
성공 기준과 벤치마크를 명확히 한다.

"솔루션에서 어떤 특정 기능을 찾고 계신가요?"
관련 제품 기능에 집중할 수 있도록 도와준다.

"다른 가족이든 누가 이 의사 결정 과정에 참여해야 하나요?"
다른 주요 의사 결정권자를 식별한다.

"이러한 종류의 솔루션에 고려하시는 예산은 얼마인가요?"

재정적 능력과 제약 조건을 평가한다.

"언제까지 준비되시면 되는지요?"
시간 프레임과 긴급성을 이해하는 데 도움이 된다.

■ 요약

질문의 기술은 인식과 지식 탐구과정에서의 핵심 요소이다.
질문은 원하는 답변이나 결과에 대한 논리적 프레임으로 구성되어 구사될 수 있다.
내포된 맥락에서 질문의 전제를 미리 받아들이게 해 반박을 불가능하게 하기도 한다.

■ 핵심키워드

질문, 유도질문, 지식탐구과정, 논리적 프레임, 내포된 맥락, 개방형 질문, 폐쇄형 질문, 소크라틱 질문, 역전형질문, 미래형 질문

■ 적용 질문

질문의 기술이 영업과 설득에서 어떤 특징들이 있는가?
질문의 기술로 영업과 설득에서 거둘 수 있는 기대요소는 무엇인가?
질문의 기술을 효과적으로 활용하는 10가지 방법이 무엇이고 나에게 있어 강화해야 할 요소는 무엇인가?

에필로그

저 또한 수많은 영업의 현장에서 시행착오를 겪었고
그 이유와 근거를 알고 싶었습니다.

마음을 얻는 비결과 비법과 관련된 지구상의
거의 모든 관련 도서와 논문을 찾고 연구했습니다.
유.무형의 상품영업, 대면영업, 기술영업, 법인영업, B2B, B2C, 온.오프라인,
SNS영업, 팀 영업, 특수영업부터 가장 최악의 조건의 영업들을
일부러 찾으면서까지 절절한 현장영업을 경험했습니다.
현장 경험들을 통해 얻은 소중한 보석들을 차곡 차곡 담았고 숙성시켰습니다.

중학생 때가지 오줌싸개, 잔병치레, 골골한 심신, 사람이 두렵고
마음이 어두운 시절을 보냈으나 다행이 이를 극복해왔습니다.
단순히 기술로 사람의 마음을 얻는 것은 한계가 있다는 것입니다.
사람에 대한 그에 앞서 나에 대한 진지한 성찰을 통해 허울과 약함의
껍데기를 벗어내고 위대한 잠재성을 깨운 경험을 나누고 싶었습니다.
누구든 위대한 잠재력과 천재성을 가지고 있다는 명확한 진리를 발견했습니다.

지금도 어느 한 켠에서 웅크리고 자신감을 상실하고 고개를 떨구는
누군가에게 작은 힘과 등불이 되었으면 합니다.
그 자리를 박차고 일어나 저마다의 자리에서 위대한 일생을
살아가는데 도움을 준다면 너무 기쁠 것 같습니다.
저와 같이 약한 자리, 힘겨운 자리에 있던 분이 곧 힘찬
날개 짓을 통해 비상하는 모습을 보고 싶습니다.

설득과 영업 초고수 실행노트
PERSUATION SECRET

설득술 '고급 기법'
마음을 얻으면 천하를 얻는다.

"단순한 무용담도 설명서도 아닙니다"

"실전 노하우와 탄탄한 이론적 근거로
하나 하나 정성껏 곱씹고 글로 옮겼습니다"

"두고 두고 참고할 만한 설득과 영업의 실전 실행노트입니다"

닥터브리